青が散る

上

宮本輝

文藝春秋

青が散る　上

この文庫は一九八五年に文春文庫から刊行された『青が散る』の新装版です。表記、改行などは『宮本輝全集』第三巻（新潮社刊）所収「青が散る」を元に改めました。

1

三月半ばの強い雨の降る寒い日、椎名燎平《しいなりょうへい》は、あまり気のすすまないまま、大阪郊外茨木《いばらき》市に開学となる私立大学の事務局へ行った。

大学は田圃《たんぼ》や農家に囲まれた衛星都市の一角の、小高い丘の上に建っていた。真新しい校舎のあたりからときおり強い風が吹き降りてきて、長いアスファルトの坂道をのぼって行く燎平のズボンや安物のスウェードの靴をびしょ濡れにした。彼は途中で一度立ち停まり、首と肩で傘を挟《はさ》みながら、靴の中の雨水を捨てた。

入学手続き最後の日で、そのうえ夕暮近かったから、出来あがったばかりの閑散としたキャンパスには人っ子ひとりいなかった。二、三人の大学職員が、事務局の中でそろそろ帰り支度を始めていた。燎平はどうにもふんぎりがつかないまま、建物の入口のところで行ったり来たりしていた。

入学金を納めてしまえば、それはもういかなる理由があっても還《かえ》してはくれないのである。よれよれのレインコートを羽織ったまま、彼は事務局と棟《むね》続きになっている学舎の中を見て廻った。ペンキの匂いの充満する薄暗い廊下を歩くたびに、ゴム底の靴音が蛙《かえる》の鳴き声みたいな音を響かせた。廊下の隅《すみ》に腰を降ろし、濡れた靴下を脱ぐと、燎平は、

「ちぇっ、シモヤケになるがな」

とつぶやきながら、凍った指先を揉《も》んだ。伝統もない、大学としての知名度も皆《かい》無《む》に等しいこの新設大学に入学する決心は、燎平にはどうしてもつきかねるのであった。

彼は一年前、受験に失敗し浪人生活に入ったが、途中、父の事業が逼塞《ひっそく》しとても大学進学どころの話ではなくなり、予備校もやめて働き口を捜さねばならぬはめになった。ところが、ある機械メーカーへの就職が決まった秋の暮、突然融資を申し出る人があらわれて、父の事業は思わぬ好転をみたのである。父は再び大学受験に挑《いど》むようすすめたが、燎平はそのための最も大切な時期を無為《むい》にしていたし、さらには受験に向けての闘志を喪《うしな》ってもいた。希望する大学への入学が無理となると、燎平はあとはもうどうでもよかった。

彼は別段これと言った理由もないまま、茨木市の丘陵《きゅうりょう》に開校となる大学の試験を受けた。その学院は小学校から高校までの一貫教育を目玉に、おもに金持ちの子弟

の通う私学として八十年の歴史を誇っていたが、大学だけは持っていなかった。学校経営陣の積年の念願が叶《かな》って、いよいよ大学開校のはこびとなり、文学部、経済学部あわせて七百名の第一期生を募集したのである。

脱いだ靴下をポケットにしまい、素足のまま靴をはき、ズボンの裾《すそ》を脛《すね》までまくりあげ、燎平はまたとぼとぼ事務局の入口まで戻って来て、そこで驚いて立ち停まった。真っ赤なエナメルのレインコートを着た娘が立っていた。コートの色に合わせた濃い口紅が、わずかに幼なさを残した、だが彫りの深い人目を魅《ひ》く顔立ちをいっそう引き立たせていた。燎平と娘はしばらく向かい合って立ちつくしていた。娘は燎平の濡れそぼった足元を見ながら、

「うーん、どうしようかなァ。……迷うなァ」

と言った。誰に話しかけているのかとまわりを見てみたが、冷たい風の通って行く事務局の入口には、燎平しか立っていないのだった。彼は自分と同じ気持でいるらしい娘の表情を窺《うかが》いながら言った。

「俺も、どないしょうか、ずうっと迷てるんやけど……」

建物の白い壁に凭《もた》れかかると、娘はじっと燎平を見ていた。遠慮や恥じらいなどひとかけらもない、と言って傲岸《ごうがん》なものも微塵《みじん》もない、娘のまっすぐな視線にどぎまぎして、燎平は慌《あわ》てて付け加えた。

「まあ、……上級生がひとりもおれへんという点は、気楽でええよなァ」

その言い方がおかしかったのか、娘はくすっと笑うと、無言のまま笑顔を燎平に注《そそ》いできた。雨の雫《しずく》がきれいな髪にまといついていた。燎平はその長い微笑《ほほえ》みでますますしどろもどろになり、わけのわからないことを口走った。

「一流大学以外は、あとはみんな似たり寄ったりで、ここは学校としての伝統は長いし、そのう、……何て言うか、長い人生のうちで、そんな四年間があってもええと言うたらええんか……」

燎平の言葉が終わらないうちに、娘はふいに事務局に入って行き、受付のガラス窓をあけて、お願いしますと叫んだ。燎平はぼんやりとあとを追った。さっさと入学手続きを済ますと、娘は髪についた水滴をぬぐいながら、

「お先に」

と言い、それから軽く胸のところで手を振った。そして急ぎ足で事務局を出て行った。燎平は受付のカウンターに片肘《かたひじ》をつき、娘の消えて行ったあとを眺めていた。頭髪にまといついた雨の雫までを、自分を引き立たせる道具に使いこなしていた娘の、そのはなやかな面立ちが、燎平をしばらくのあいだ、虚《うつ》ろにさせていたのだった。

急いで入学手続きを済まし、彼はキャンパスに出た。雨はやみそうになく、丘陵の不安定な風向きにあおられて、ぐるぐるとうねっていた。摂津《せっつ》平野の、雨に覆《おお》わ

れて黯《くろ》く拡がっているさまが展《ひら》けている。眼下の坂道ののぼり口でタクシーに乗り込む娘の遠い姿も見えた。事業再建に必要な大事な金の一部を、入学費用に廻してくれた年老いた父のことがちらっと心に浮かんだ。燎平はまた事務局に戻り、

「いまの女の人、名前何て言うんですか？」

と訊《き》いた。

雨水が川のように流れている長いアスファルトの坂道を、再び濡れそぼって降りて行きながら、燎平は「佐野夏子、佐野夏子」と何度も心の中で言ってみた。吹きさらしのバス乗り場に佇《たたず》み、冬の終わりの荒れている空を眺め、傘の骨からしたたり落ちてくる雫を、いつまでも鼻の頭で受けていた。そうやって、いっこうに来そうにないバスを待ちつづけた。

「諸君等はともに手を取り合って、我が学院の八十年の伝統を新しい大学に継承させるべく……」

歳老いた文学部長の長い話を、燎平は、一号館の四階にある大教室のうしろの席に坐って聞いていた。授業選択の方法や、学内の施設を説明するオリエンテーションがやっと終わると、その半数が女子学生で占められた文学部の連中は、ぞろぞろと学舎前の広場に出て行った。佐野夏子の姿はなかった。燎平は坂道と広場をつな

ぐコンクリートの階段のところまで来て、そこに腰を降ろした。よく晴れた温《あたた》かい日であった。

授業の始まるのはあさってからだった。ほとんどの学生たちは、アスファルトの坂道をバス乗り場へと下って行った。階段の真ん中にぽつんと一本植えられている貧相な松の木に凭れかかって、燎平は黄色い地肌をのぞかせている広大な学校用地を見やった。植えられたばかりの芝生はまだ薄い土に覆われて、芽を出していなかった。バス乗り場と、舗装された長い坂道と、四階建ての一号館と、そこから学生食堂へのぼって行くだらだら坂があるだけで、あとは何もなかった。

学校側の説明では、一号館の裏に、やはり四階建ての二号館が出来、その横に大きな図書館と学生会館が建つ予定であった。バス乗り場の横にある広大な空地はグラウンドと体育館のためのもので、それは夏には完成するらしかった。二年後には、中学と高校も大阪市内から移転してくるらしく、そのための用地も、大学の校舎の横手に拡がっている。ただそれはすべて予定地で、土均《なら》しのためのブルドーザーが二台、さっきから緩慢《かんまん》に動いている。二つの建物と、それを取り囲むだだっぴろい土地を、それだけはそこにもともと密生していた豊かな緑が包み込んでいるのだった。

燎平の中に強い後悔の念があった。学舎も、まわりの空地も、さらには自分の横を通り過ぎて行く派手ななりをした学生たちの風情《ふぜい》も、なぜかひどく荒涼としたものに見えた。この新しい大学が、大学としての完成した形を整えるころには、もう燎平は学生生活を終えているはずなのである。

燎平は何のあてもなく一号館に戻って行った。食堂への道につながるピロティのところで、並外れた巨体の学生が貼《は》り紙を掲示板に貼りつけていた。髪を短く切って、度の強い眼鏡をかけている。貼り紙には〈硬式テニス部員募集〉と書かれてあった。

「テニス部が出来るのん？」

燎平は、その長身の学生に話しかけていった。もともと物おじしないところが、燎平にはあった。

「うん、どう？　入るか？」

「テニス部いうたかて、テニスコートなんかあらへんがな」

「これから造るんや」

学生は金子慎一と名乗った。一メートル九十センチ、八十キロと、燎平が訊いてもいないのにそう付け足して笑った。

「どや、テニス部に入らへんか？　初心者でもかめへんでェ」

「うーん、まんざら初心者でもないんやけどなァ……」

燎平は高校時代、二年間ほどテニスをやった時期があったので、そのことを口にした。金子は目を輝かせて、巨体をにじり寄せてきた。

「えっ、そら願ったり叶ったりやなァ。いまも二人申込み者があったんやけど、まったくの初心者や。なァ、頼むからテニス部に入ってくれへんか」

そのとき二、三人の学生が、金子を取り囲んだ。学生たちは強引に金子の腕をつかむと言った。

「おい、お前。アメリカンフットボールやってみる気ィないか？　うってつけの体やないか」

金子は慌てて腕を振りほどき、眼鏡を指でずりあげて困惑した表情で答えた。

「俺、テニスをやるんや。荒っぽいことは苦手《にがて》やねん」

「テニス？　テニスなんかやめとけ。お前はアメフトをやるべきや。こんな体で勿《もっ》体《たい》ないがな。頼む、アメフトに入ってくれ」

見ると、テニス部やアメリカンフットボール部だけでなく、その他無数のクラブを作ろうとする学生たちが、掲示板に貼り紙をして部員を募っていた。

丸顔のよく肥《こ》えた学生が、燎平を見て言った。

「おい、お前はどうや？」

「僕、一メートル七十センチ、五十キロ」

「あかん、そらちょっと細すぎるがな。お前はテニスをやれ。それが向いてる」

燎平は少しむっとして言い返した。

「テニスいうのはなァ、凄《すご》いスタミナとテクニックと、そのうえ精神力のいるハードなスポーツやぞォ。いっぺんやってみたらわかるよ」

執拗《しつよう》に食い下がってくる連中から逃げだして、金子と燎平は、一号館の冷《ひ》んやりとした小教室に入った。金子は、二時に学長と会うのだと言った。テニスコートを造ってくれるよう談判するつもりだった。

「ひとりよりも二人のほうが心強い。なっ、一緒に行ってくれよな」

「俺、まだテニス部に入るなんて言うてないぞォ」

「そんな水臭いこと言わんと、俺と一緒にテニス部を作ろやないか。高校で二年間もやってたんや。一番力のつく時代に身につけたもんを、このまま捨ててしまうのは惜しいやんか」

大男の金子は、顔も鼻も唇も大きかったが、目と眉だけは細く小さかった。身のこなしも鈍重で、どこかのんびりしたものが漂っている。燎平は大学でスポーツをする気などまったくなかった。といって勉学への意欲も消え去っていた。何をしようというあてもなかったが、彼はきっぱりと金子の勧誘を断わった。

「いややな。テニス部に入る気ィは、さらさらなしや」

金子は太い指で黒ぶちの眼鏡を何度もずりあげながら黙って考え込んでいた。自分の言葉がこれほど相手を落胆させるとは考えていなかったので、燎平は仕方なく言葉をついだ。

「そやけど、学長室には一緒について行ったるがな。そんなに、しょんぼりせんといてくれよ」

ふたりはまたピロティのところへ出た。金子と並んでいると、自分がひどく小男のように思われて、燎平は何となく面白くなかった。そのとき、坂道を走りのぼって来た黄色いベンツが、一号館の横手の道を迂《う》回《かい》して、学生たちの群れの中で停まった。部員の勧誘に精を出していた学生たちの中から幾つかの感嘆の声があがった。燎平も、こんなに鮮やかな黄色のベンツは、これまで見たことがなかった。新入生の中には、派手な外車に乗って登校する者も幾人かいたが、目の前に停まった車は、金持ち学生の乗り廻す高価なおもちゃとは言いかねた。

助手席から降りて来たのは佐野夏子であった。夏子は運転席の男に軽く手を振って、じゃあ、またねと言うと、燎平の傍《そば》を通り過ぎ、事務局の中に入ろうとした。そして、あらっとつぶやいて振り返った。燎平の顔をおぼえていたらしく、

「やっぱり、この大学に入ったの？」

と言って近寄って来た。以前よりも長く伸ばした髪にきついウェーブをかけていた。燎平はUターンして引き返して行くベンツを指差し、

「あれ、誰？」

と訊いてみた。顔や首筋が火照《ほて》ってきて、彼はそんな自分に気づかれまいと、しきりに頭髪をかきあげた。見ると、金子も口をぽかんとあけて、薄いブルーのニットスーツを着た夏子を見おろしている。

「ここの学生よ。駅でバスを待ってたら、送ってくれたの」

「へえ、凄いリッチなやつがおるんやなァ」

「それに、なかなかハンサムやったわよ」

夏子はオリエンテーションを受けに来たが、時間を間違えたらしかった。

「文学部のはもう済んだぞ。午後からのは、経済学部のや」

説明書だけでも貰《もら》って来ると言って、夏子は学生課の窓口へ行った。

「なんか、ぞくぞくっと来るような女の子やなァ」

と金子がささやいた。

「おい、俺とあの娘《こ》の仲を取り持ってくれたら、テニス部でも何でも入ったるでエ」

「仲を取り持つて、どんなふうにするねん？」

「これからお茶に誘《さそ》うとか、映画に誘うとか、いろいろと方法はあるやろ」

「それ、俺がするんか？」

「してくれたら、テニス部に入ったるでェ」

燎平は本気でそう言った。そのためなら、これからどんなに汗を流すはめになったっていいと思えたのである。

事務局から出て来た夏子は、おずおずとにじり寄ってくる大男の金子を見あげて、驚いたように立ち停まった。金子はつかみかからんばかりの形相《ぎょうそう》で、二、三度、あのうと言って言葉を詰《つ》まらせた。

「あのう、……テニス部に入りませんか？」

「テニス？」

「ええ、練習もきつくないし、休みたい日はいつでも休ませてあげます。テニスはいいですよォ」

運動神経は皆無だからと、夏子は笑顔で答えた。二時のバスに乗るつもりだから一緒に帰ろうと燎平を誘い、彼女はひとりで学生食堂へのだらだら坂をのぼって行った。

「アホ！　誰がテニス部に勧誘してくれと言うた？　仲を取り持ってくれと頼んだんやぞォ」

金子はそれには答えず、

「あいつの目、緑色やったぞォ」

と言った。

「緑色？」

「うん、何や黒いような青いような、けったいな目をしてた。あの目にじっと見られてるうちに、頭がかあっとして来たんや」

そして急にむきになって、燎平に迫って来た。

「そやけど、結果的には仲を取り持ってやったようなもんや、一緒に帰ろうて言うてくれたがな。おい、テニス部に入れ。男の約束やぞォ」

「練習もきつくないし、休みたい日はいつでも休ませてくれるかァ？」

「……あれは、あの娘《こ》だけや」

ふたりは顔を見合わせて笑い、学長室への階段を駈《か》けのぼった。中二階の大きなガラス窓から、学生食堂へ入って行く夏子の姿が見えた。夏子のほうから誘って来るとは思ってもいなかったので、燎平はひどく興奮して、階段をのぼりながら何度もサーブの真似《まね》をした。

「ええフォームやなァ。惚《ほ》れ惚《ぼ》れするなァ」

金子は巨体をのけぞらせて笑い、そのあとえらく真剣な表情で付け足した。

「おい、きょうは俺もついて行ってええやろ？」

「ああ、ええでェ。そやけど、適当なところで気を利《き》かしてくれよな」

テニスコートが出来るのは四年先であると学長は言った。初期の予算が大幅に狂い、必要な建物の完成もままならぬ状態だ。何とか希望にそってやりたいが、辛抱《しんぼう》して貰いたいとのことだった。金子は粘《ねば》りに粘って、高校用のグラウンドの一角を、テニス部のために使わせてもらうところまでこぎつけた。彼は、自分でテニスコートを造る気だった。

「アンツーカーの土でなくてもいいです。クレーコート用の土でいいから、トラックに三台ほど買っていただけないでしょうか？」

大男の金子が大声で身を乗り出して頼み込むと、それだけで一種の迫力があった。著名な心理学者でもある学長は、しぶしぶポケット・マネーを出した。足りない分は、自分たちで工面《くめん》しなさいと言って、あらためて金子を見あげた。

「しかし、大きいねえ。君と話してると、何か二階と喋《しゃべ》ってるみたいだねえ。……テニスより、レスリングのほうがいいんじゃないの」

バス乗り場に行くと、夏子は先に来て待っていた。春の陽を受けて、ぱあっと花が咲いたようにはなやかで活き活きした夏子の表情には、一点も下品な部分がなかった。こうした顔立ちの女には、きまってどこかにいやな濁りがあって、燎平はそれがたまらなく嫌いだった。そして確かに、夏子の黒目勝ちの目は、一瞬とろんと静まりかえっているような深い色が浮かぶのだった。それは言葉で表現すれば、金子の言う、濃い緑色としか他には言い表わせない色なのであった。

燎平は自分と金子の名前を夏子に教えた。夏子は燎平が自分の名を知っていることに驚いたふうであったが、何も問い返してはこなかった。彼は照れ隠しのつもりで言った。

「だいたいプラトニック専門の男は、そういうことだけは早いんや」

「そうそう、そういう男の人は、凄く陰湿で好色なのよね」

三人は国鉄で大阪駅まで出た。先に夏子の買物につきあわされて、梅田新道にあるドイツ風のビアホールに入ったころは、もう夕暮時だった。金子は心配そうに小声で訊いてきた。

「金あるか？　俺はないぞォ」

「さっき、学長から貰《もろ》たのがあるやろ？」

「アホ！　ハイエナみたいなやつやなァ。この金は、大事な土を買うために」

「わかってるがな、まかせとけよ」

そして燎平は、父のお古である外国製の時計を指差し、そっと金子に耳打ちした。

「これは古いけど、純金で値打ち物や。いざとなれば、しばらく蔵の中で休んでもらおう」

浪人時代、燎平はときおり時計を質屋に入れて遊んだことがあった。ここからすぐ近くに小さな昔ながらの質屋があって、顔馴染《なじ》みの親父がいつも坐っている。

三人はビールで乾杯した。大学生になったのだから、大いに飲もうと言っていた金子は、すぐに荒い息をしはじめた。彼は生まれて初めてアルコールを体内に入れたのである。

「普通の人の五倍は飲めそうな体よ」

夏子はあきれたように、金子の真っ赤になっている顔を見つめた。ジョッキに半分ほど飲んだだけで、金子はそれきりビールには手を出さず、出された料理を頬張《ほおば》っていた。

「こう見えても、俺は繊細《せんさい》なんや。あらゆる刺激物の侵入に対して、異常な反応を示す」

きらきらした目を近づけて、夏子はからかうように言った。

「可愛い女の子には、どう？」

「まださわったことないさかい、わからんなァ」

金子慎一は薬局の息子だった。家には男は彼ひとりだけで、母と、姉が三人、妹が三人いるとのことだった。姉たちはまだひとりも片づいていないから、毎日七人の女に囲まれて生活している。

「女だけは、もううんざりするなァ」

と金子は吐きすてるように言った。

「あれは、お化けやでェ」

「どうして」

と夏子が問い返すと、金子は真顔でつづけた。

「どいつもこいつも、みんな賢こそうでアホなんやなァ、なんでこんなことがわからんのかと思うようなことがわかりよれへん。うちの姉妹、みんなそれぞれひとつずつ、けったいなアホな部分を持ってるなァ。お袋までがそうなんや。そら見事なくらいやでェ」

金子は珍しく早口でまくしたて、ビアホールの黒ずんだ木目の天井を見あげた。

「金子くん、よっぽど女性軍にいじめられてるのと違う？」

夏子がおかしそうに言うと、金子は憮然《ぶぜん》とした表情でつぶやいた。

「あいつら、お化けやさかい、こっちもそのつもりで対処せんとなァ」

会社帰りのサラリーマンで、店内はいつのまにか満席になっていた。どこかの大学生らしいバンドが、揃《そろ》いのユニホームを着てドイツ民謡を奏《かな》で始め、燎平も夏子も金子も、しばらく口を閉ざして聴き入っていた。

燎平はテーブルに頰杖をつき、そっと視線を変えて夏子の横顔を盗み見た。夏子の目は、演奏している六人の若者に向けられていたが、そのじつ、もっと遠くの何物かにぼんやり注がれているように、燎平には思えていた。夏子の自信たっぷりの、それでいて決して背伸びしているのでもなく、嫌味なところもない、男に対する言葉つきや身のこなしが、燎平は不安だった。それはもともと持っている、夏子の特質がなせるわざであったろうが、いつか燎平など遠くに置き去って、彼女自身にとってもしあわせとは言えない世界へ走らせて行く、危険な因子のように思えた。ただし、夏子の魅力は、確かにその部分から放たれてくるものを抜きにしては考えられないのであった。飲めない金子にかわって、燎平はひとりでジョッキのビールをあおった。

演奏が終わると、三人はビアホールを出て、御堂筋《みどうすじ》を大阪駅のほうへとぶらぶら歩いた。金子は燎平との約束をちゃんと守って、ひとり大阪駅からバスに乗って帰って行った。別れぎわ、彼は燎平の肘《ひじ》をつかみ、

「テニス部のこと、頼むぞ。なっ、絶対に約束やぞ」

と念を押した。燎平は仕方なく、うんうんと頷《うなず》いてみせたが、まだはっきりと心を決めたわけではなかった。金子は金子でテニスのこと以外眼中にないみたいだったが、燎平もまた、いまは傍《かたわ》らの夏子のこと以外、何も考えてはいなかった。

夏子の家は阪急沿線の六甲駅から山手に少しのぼったところにあることを燎平はさりげなく訊き出した。ターミナルの歩道橋を渡り、二人は阪急電車の乗り場へと

歩いて行った。タクシーやバスがひしめきあい、クラクションやエンジン音の混ざりあう上を、汚れた鳩が、二、三羽飛び交っている。

「燎平はどこに住んでるの？」

と夏子が話しかけてきた。彼女は金子よりも強かったが、それでも少しのビールの名残りをまだ目のふちに漂わせていた。

「野田阪神。阪神電車で二駅や」

「浪人時代は何をしてたの？」

「ごく普通の浪人やったなァ。予備校に通って、ときどきパチンコしたり、仲間のたむろしている喫茶店で半日粘ってたり……。そやけどそれも夏までで、親父の仕事が傾いて、大学へ行かせてもらうどころでなくなったから」

「わたしも一年浪人したのよ」

「へえ、ちゃんと受験勉強してたん？」

夏子はそれには答えず、うんと歳下のものをあおりたてるような口調で言った。

「ねえ、燎平くんて、三十歳ぐらいになったら、凄くいい男になりそうな気がするなあ」

「……ふうん、それまで待ってくれるかァ？」

「いやよ、待ってあげへん」

それから夏子は燎平に時間を訊き、いつかと同じように胸元で軽く手を振ると、さっと身をひるがえして、梅田駅のホームへと小走りで去って行った。雑踏《ざっとう》の中に消えていく夏子のうしろ姿を、燎平はぼんやり立ちつくして眺めていた。さっきのビアホールでの、どこか遠くを見つめていた夏子の横顔が、心の片隅に刻み込まれていた。あの夏子の視線の彼方には、自分など到底たちうちできない相手が立っていたのではないかという思いに駆られた。

彼はまだ火照りの残っている頬に掌《て》を当て、ごしごしこすった。テニスに大学生活のすべてを費《つい》やそうとしている金子の巨体を思い浮かべた。それに優《まさ》るとも劣らない情熱を、いま燎平は、夏子の不思議な色を宿す瞳《ひとみ》に向けようとしていた。

トラックで三台分の土が届いたのは、五月の半ばだった。グラウンドの隅に大きな土の山が出来、それが初夏の陽ざしに照らされて白く乾いていった。

燎平は、金子がどこからか調達してきたスコップとツルハシを持って、土の山に腰を降ろし、入部してきた部員たちを待っていた。約束の時間にあらわれたのは金子だけで、あとは誰もやって来なかった。

「あいつら、コートが出来たころを見計らって、顔を出すつもりやぞォ」

燎平は腹立ちまぎれに、スコップを放り投げて言った。

「さあ、取りかかろうか」

金子は長い巻尺と長方形の板を持っていた。

「ちゃんと直角に計っとかんと、菱形のテニスコートになったりするからなァ」

正確にラインを引く作業だけで三時間近く費やし、さらにそれぞれのポイントに目印用の杭《くい》を打ち終えたころには三時を廻ってしまった。ふたりは着ている物を脱ぎ、上半身裸になって、雲ひとつない五月の空を見あげた。

「絶好のテニス日和《びより》やなァ」

金子がぼそっとつぶやいた。この調子で行けば、テニスコートが完成するのは梅雨《つ》《ゆ》どきになるかも知れない。あれ以来佐野夏子は学校にあらわれなかったし、いつのまにか金子のペースにのせられてテニス部に入り、一球もボールを打たないまま、汗みずくになって土方仕事をしている。金子の買って来たパンとミルクを腹の中に流し込み、燎平は手の甲に噴き出ている汗をぺろぺろと舐《な》めた。汗をかいたのは、久しぶりのような気がした。

作業はまだ序の口で、これから全体の土を十センチほどにわたって掘り返し、届けられたクレーコート用の土と入れ換えなければならない。何度もローラーをかけ、平らに整地し、ニガリをまいて土を固め、いま打ちつけた無数の杭のあとを白線でつないで、ネット用のポールをしっかりと打ち込み、それでやっと完成するのである。燎平はそれを考えるとうんざりしてきて、裸のまま土の山に倒れ込んだ。あおむけになって、横手から流れてくるポプラの巨木の、葉擦れの音を聞いていた。

「ほんまは一メートルほど掘って、小石とかバラスとかを敷いとかんと、水捌《みずは》けが悪いんやけどなァ……」

金子は燎平が同意すれば、そうするつもりらしかった。身を起こすと、燎平は慌てて言った。

「冗談言うな。そんなこと、たった二人で出来るはずないやろ。そこまですると言うんなら、俺はテニス部をやめさせてもらう」

「……やっぱり、無理かなァ」

金子は眼鏡を外し、口元についたミルクを掌でぬぐった。眼鏡のない金子の顔は、妙におとなびて見えた。動作も鷹揚《おうよう》だったが、小さい目のまばたきまでが、普通の人よりもゆっくりとしている。その顔の下に、筋肉の盛りあがった見事な上半身があった。地味だけれど、まるでおとぎ話の亀のように、どこまでも歩いてみせる愚直で強靭《きょうじん》なものが、金子の全体にひそんでいるのだった。金子は背中にこびりついた土をはたき落としながら、ためらいがちに言った。

「さっき、佐野夏子に逢《お》うたぞォ」

「どこで？」

「一時間目の授業を受けて、帰りよった。黄色のベンツのやつと」

「……ふうん」

「おい、燎平。あの娘はちょっと手に負えんでェ。つまり人種が違うんや。だいいち、黄色のベンツには勝てんよ……。リッチでハンサムときてるからなァ」

「しかしあの男は、頭の中はからっぽのはずや」

「リッチで、ハンサムやったら充分や。女なんて、それ以上のもんを望んでないぞォ」

そして金子は、夏子が神戸の大きな洋菓子屋の娘であることを燎平に教えた。一人娘で、いずれは養子を貰って家業を継がねばならないことまで、金子は誰に訊いたのかよく知っていた。

金子に促《うなが》されて燎平は立ちあがった。ふたりは、テニスコート用に割りあてられた一角を、ツルハシで掘り返していった。腰や背中の筋肉がたちまち痛くなったが、燎平は体の中に湧《わ》きあがってきたものを、ひび割れた粘土質の地面に叩《たた》きつけていた。

随分長時間ツルハシをふるったように思えて手を止めると、固い地面は、まだ一メートル四方も掘り返されていなかった。

「ちぇっ」

ツルハシを投げ出し、緑色のフェンスに凭れ、白い校舎を眺めた。汗が、背や腹を伝って流れ落ちていた。金子に睨《にら》みつけられ、彼はしぶしぶツルハシを握った。

ある程度掘り返すと、スコップで土を掬《すく》いあげ用地のまわりに積みあげていった。掘り返しては土を掬い、またツルハシを打ち込んでいく、こんな単調で疲れる作業を、燎平はいつまでも繰《く》り返した。梅田新道のビアホールでそっと盗み見た夏子の横顔が、しきりに思い出されていた。

女の中にある、どうしようもなくけったいなアホな部分とは何だろう。彼はふと手を止めて、それを語った金子の汗まみれの背中を見た。だが考えてみれば、自分もまた、どうしようもなくけったいなアホな部分を、ひとつやふたつ持っているに違いなかった。夏子も持っている、この金子だって持っている。燎平は掘っても掘っても、いっこうにはかどらないコート造りの作業が、ふいに馬鹿らしくなってきた。胸の底に、夏子のはなやかな顔があった。あの長いゆっくりとした笑顔を、夏子は黄色いベンツの持ち主にも注いでいるのだろうか。

彼はツルハシを力一杯放り投げ、脱いだシャツを拾い、身にまといながらその場を離れて行った。そして、驚いたようにぽかんと見つめている金子のほうを振り返り、叫んだ。

「俺はやめるぞォ。テニス部なんか、きょうかぎり退部したる」

「……」

「なんでこんなはめになったんか、さっぱりわからへん。テニスなんかする気は、さらさらなかったんや。うまいこと言うて、こんな土方仕事に引っ張り込みやがって……」

喋っているうちに、彼は自分がのんきにクラブ活動なんかにうちこめる身分ではないことに気づいていた。アルバイトもしなくてはならない。父の仕事も手伝ってやらなくてはならない。燎平は学生食堂への坂道をのぼった。振り返ると、金子はツルハシをかついで、じっと燎平を見ていた。

学生食堂の隅に坐り、燎平はコーラを飲んだ。この新設大学に入学してしまったことを、燎平はしんそこ後悔していた。彼はもう一本コーラを買い、無理矢理、喉《のど》に流し込んだ。そして、大きなガラス窓のところへ行き、ツルハシを振り降ろしている遠くの金子を見た。それから食堂を出、裏山の樹木の下で寝転んだ。野鳥の鳴き声や、虫の羽音が、幾分腹立ちの醒《さ》めてきた心に沁《し》み入ってきた。夏子のしなやかな体と、不思議な目の色が、切なく燎平の中に拡がっていった。

しばらくして、燎平はまたとぼとぼ学生食堂の中に戻って行った。金子はあいかわらずツルハシをふるっていた。燎平は何か不思議なものを見る思いで、五月晴《さつきば》れに照らされて輝いている、金子の遠い裸身を眺めた。

しかし気がつくと、いまやそれは金子だけではなかった。グラウンドのあちこちでは、自分たちに割りあてられた場所の整地のために、上半身裸になって精を出している、ラグビー部やサッカー部やアメリカンフットボール部の連中の姿があった。何のクラブかわからないが、黙々とグラウンドのまわりを走りつづけている学生たちもいた。それは、丘の上の荒涼たる一角に湧きあがっている静かな熱気であったが、その中で、ひとりぽつんとツルハシを打ち込んでいる金子の姿だけが、燎平にはひどく寂し気なものに映《うつ》った。金子は、ひとりでも、コート造りをつづけるつもりなのであった。

「ちぇっ」

燎平は再び学生食堂を出て、しぶしぶ坂道を下った。テニス部に入ることはなくとも、せめてコート造りだけは、手を貸してやらねばならぬと思った。

帰って来た燎平を見て、金子は嬉しそうに微笑んだ。尻ポケットをさぐり、一万円札を出すと、燎平の鼻先で振った。

「土を買うとき値切ったら、これだけ余ったんや。これで、今晩ビールを飲ましたるさかいな」

「死ぬほど飲ましてくれよな」

ふたりは、日がとっぷりと暮れてしまうまで、土を掘りつづけた。

2

椎名燎平と金子慎一が、荒れた広大なグラウンドの隅に、テニスコートを完成させたのは、例年になく雨の少ない、それでも来る日も来る日も曇り空ばかりがつづく、六月の半ばごろであった。

たった一面のコートを造りあげるのに、ふたりは結局、一ヵ月も時を費《つい》やしたことになった。どちらも、まだラケットで一球もボールを打っていないというのに、見事に陽灼《ひや》けした肌を輝かせていた。柔らかな、しかし、体の奥にまで深く浸透してくる初夏の光線にあぶられて、燎平と金子の上半身は、二度三度と皮がめくれてしまっていた。

「これも、やっぱりテニス灼けのうちに入るんやろか？」

燎平は、ローラーをかけ終わって一服している金子の真っ黒な顔を眺めながら、ぼんやりそう言ってみた。目を細めて笑い返すと、金子は眼鏡の奥から梅雨空を見

やり、

「いっそ、ひと雨降ってくれへんかなァ」

とつぶやいた。

「なんでや？」

「ニガリを撒《ま》くから、雨が降ってくれたほうがええんや。乾いてから、またローラーをかけて、もう一回ニガリを撒いて、それから、もういっぺんローラーをかけて」

燎平は、金子のそんな根気の良さに、もう慣れてしまっていたが、それでも改めてうんざりする気分に浸《ひた》りながら言った。

「ほんまに、お前は、コッテ牛みたいなやつやなァ」

「何や、コッテウシて」

「牛や、牛。牛の中でも、うんと出世する牛や」

「へえ、牛が出世するんかァ？」

からかうように金子は言い返し、ムキになってさらに何か応酬《おうしゅう》しようとしている燎平の首に、太い腕を巻きつけて、ぐいぐい締めあげてきた。

「すぐにムキになる悪い性格や。そんなことやったら、夏子をものになんかでけへんぞォ」

金子の腕を振りほどくと、燎平はフェンスのところまで歩いて行き、眼下の、バス乗り場から校舎につづく長い坂道を見おろした。

佐野夏子の送り迎えは、あいかわらず〈黄色のベンツ〉が、かいがいしく行なっているらしく、夏子が学校に来ているときは、必ずバス乗り場の横にある駐車場に、その派手な外車が停まっているのだった。横に並んで、巨体をフェンスに凭《もた》せかけ、金子は燎平の捜しているものを、目で追っていた。

「きょうもイエロー・ベンツは来てないなァ。……おい、燎平。あいつの親父は、衆議院議員らしいでェ」

そして、大阪が地盤の、燎平も聞き覚えのある、与党の代議士の名を言った。

「なにせ、次期大臣の御曹司《おんぞうし》やから、これは燎平にとっては、たちうちのできん相手やで」

金子はいつになく口数が多かった。長い間かかって、やっとテニスコートを造りあげた歓《よろこ》びが、微笑の消えない顔にあふれていた。夏子のことになると、金子はきまって軽い調子で燎平を揶揄《やゆ》するのだったが、そうされるたびに、燎平は暗い哀《かな》しい気分に襲われた。燎平の夏子に対する思いは、いまや決して軽くもなければ、揶揄の対象となるほど気楽なものでもなかった。

金子はふいに思い出したように、胸ポケットから紙きれを取り出し、おもむろに拡げて、燎平の目前に突きつけた。見ると、安斎克己という名前と、電話番号が書きつけてあった。

「何や、これ」

「安斎《あんざい》が、うちの大学に入っとったんや。安斎や。関西ジュニアのチャンピオンやないか」

「……ああ」

燎平も高校時代、大阪の靭《うつぼ》コートで、安斎克己の試合ぶりを観たことがあった。神戸の、テニスでは名門の中学、高校と進み、二年生で関西の覇者《はしゃ》となったスター選手であった。当然、そうした選手を優遇する大学に入学したものと思っていたので、燎平は金子の言葉がにわかには信じられなかった。観ているだけで何となく心地良くなるような、安斎克己のフットワークとラケットさばきが、燎平の頭に浮かんできた。

「へえ、安斎が、なんでこの大学に入ったんや？」

「なんでて、……そんなら、燎平はなんでこの大学に来たんや」

「そら、まあ、他の行きたい大学の試験に落ちたから」

「なっ、つまり、そういうわけや」

「……ふうん、そやけど安斎くらいのやつやったら、テニスの選手として、どこの私大でも入れたやろ？」

それから燎平は、自分でも照れ臭くなるくらいムキになって、金子に叫んだ。

「おい、コッテ牛。そら絶対に、安斎を勧誘せなあかんで。三顧《さんこ》の礼を尽《つ》くしても、テニス部に入っていただかんと」

紙きれを大事そうに胸ポケットにしまい、金子は再びローラーを押してコート内を歩き始めた。この三日間で、すでに金子は重いローラーを三十回以上もかけ終わっていたが、ひと雨くるまでに、さらに二、三回整地しておくつもりらしく、あまり感情を表わさない顔を、いつになくほころばせて、荷車を引く農夫みたいな格好で、ローラーを引いているのだった。

「きのう、安斎の家に電話したんや」

と金子は言った。

「一時に、食堂で待ち合わせてるから、燎平も一緒に来てくれよ」

そのとき、ぽつりぽつりと雨が降り始めた。金子は空を見あげ、慌《あわ》ててプレハブ造りの部室に向かって走った。

「おい、雨や、雨や。ニガリを撒かんとあかんがな」

仕方なく燎平も金子のあとを追った。ふたりはニガリの入っているポリ袋をかついで、また戻ってくると、スコップでその細かい結晶を掬《すく》い、それをコート上に撒いた。しばらく小降りがつづいていたが、ニガリの白い粉がコート上をくまなく覆《おお》ってしまったころ、雨はいよいよ烈しくなった。

「うまいこといったなァ」

金子は嬉しそうだった。雨に濡れて白く曇ってしまった眼鏡のレンズをハンカチでぬぐいながら、小さな目をしかめて、自分の造りあげたテニスコートを眺めていた。

「来週から、練習開始や」

「しかし、あいつら、とうとう最後まで手伝いにこなんだなァ」

数名の入部希望者の名をあげて、燎平は空《から》になったポリ袋を小脇に、ひとりさっさと部室へ帰って行った。金子は雨に打たれ、腰をかがめて、ニガリの結晶が濡れそぼっていくさまをいつまでも見ている。

やがて、大雨になった。ふたりは服に着換え、通り合わせた学生の傘に入れてもらい、学生食堂へ駈《か》け込んだ。ちょうど昼食時だったので、中はごったがえしていた。ひととおり、見て廻ったが、安斎らしい学生の姿はなかった。燎平も金子も、食堂の入口のところに腰かけ、入ってくる学生の顔を窺《うかが》っていた。

「こら、燎平。ちゃんと安斎を捜してくれよ」

「わかってるがな」

「なんか、夏子を捜してるような目をしてるぞォ」

夏子なら、あえて捜さなくとも、燎平にはたちまち判別できるはずであった。いつかの雨の日、入学手続きを済ました夏子の、燎平を置き去りにしてタクシーに乗り込む姿が、思い出されてきた。雨の中で何もかもが霞《かす》んで、そのために夏子の真っ赤なエナメルのコートだけが、はるか遠くに咲いている一輪の花みたいに映ったのだった。燎平にとっては、夏子がそこにいるかぎり、まわりはみな霞んで見えるのである。夏子だけがぽっと浮き出て咲いている、そんなふうに思えてしまうのであった。

雨滴を吸った木綿のシャツが、かすかに青臭い匂いを発していた。燎平は顎《あご》を引き、シャツの第二ボタンも外して自分の胸のあたりの匂いを嗅《か》いでみた。うっすら脂気の混じった、自分の匂いがした。おとなの匂いではなかった。

彼は椅子《いす》に坐ったまま、首だけまわして、うしろを振り返ってみた。無数の二十歳《はたち》前の学生たちが、かしましくうどんやそばをすすったり、軽口をたたき合ったりしている。半分は、希望する大学の入試に失敗した者たちで、あとの大半は、初めから受験勉強という苦行を放擲《ほうてき》し、四年間の余暇を満喫しようという下心で入学して来た若者なのであった。

燎平も、何をしようというあてもなかった。何の目的もなかった。四年間で、これだけは学んでおこうというものもなく、また、自分をこの新設大学に誘《いざ》なった佐野夏子という、手に負えない奔放《ほんぽう》な生き物の心を捕える自信もなかった。心にあるのは、愚痴だけであった。行きたかった京都の大学に合格していたら、もっと金持ちの息子だったら、もっと男らしい肉体と風貌を持っていたら、他の何物も踏みしだいて、一直線に驀進《ばくしん》できる目標さえあれば。

彼は、にわかに蒸《む》してきた学生食堂の片隅で、ふいに湧《わ》いてきた倦怠《けんたい》と不快感に身をまかせ、閉め忘れられた小さな天窓から降り注いでくる霧状の雨粒を受けていた。

「もうテニスコートも出来たのと同じやから、俺、テニス部を辞《や》めさせてもらうでェ」

と燎平は傍《かたわ》らの金子に言った。金子は黙っていた。何がしまってあるのか、ぶあつく膨《ふく》れた定期入れを胸ポケットから覗《のぞ》かせて、食堂の入口ばかり見やっている。

「夏休みになったら、アルバイトせんとあかんし」

その言葉で、金子はやっと燎平に視線を移して口を開いた。

「うん、アルバイトぐらいかめへんでェ。俺も、アルバイトはせんとあかんし。合宿代も稼《かせ》がんとなァ。部の体制がちゃんと出来あがるまでは、そんなに堅《かと》う考えることないがな」

「合宿、やっぱり行くんか？」

「他の大学の体育会みたいに厳しい真似《まね》は無理や。最初の一年は、とにかく部員を集めて、部としてのちゃんとした維持費が貰《もら》えるようにしとかんと」

「俺、テニス部、辞めてもええのん？」

金子はまた黙ってしまった。いかにも金子らしいやり方で、燎平はこの無言の意思表示にひきずられて、きょうまでコート造りを手伝ってきたのである。

「肝腎なことになったら黙り込みやがって。ちゃんと返事をしたらどうやねん」

すると金子は、眉根《まゆね》を寄せ、近眼の目を懸命に焦点合わせしながら、燎平の肩をつついた。

「おい、あいつと違うかな？」

見ると、長髪の学生が、入口のところで傘をたたんでいた。教科書もノートも持っていず、たたんだ傘を二、三度強く振ってしずくを切り、とぼとぼ中に入ってきた。燎平の記憶にある安斎克己とは、似ても似つかない顔立ちであったが、心なしか内股《うちまた》で地面を擦《す》るようにして歩く格好には、覚えがあった。あいつや、と金子は小さく言って、立ちあがった。

「きのう、電話をした金子です」

そして、ガラス窓の向こうで煙っているグラウンドの一角を指差し、

「テニスコート、ほとんど出来たよ」

と言った。

安斎は金子の示す場所を見ようともせず、

「せっかくやけど、テニス部に入る気はないんや」

と言って、すまなさそうに笑った。

燎平が安斎のプレーを観たのは三年前で、そのとき彼はほとんど坊主頭といえるほどの短髪で、黒く陽灼けていた。小粒な目と歯並びが、精悍《せいかん》さと育ちの良さを感じさせていたが、いま目の前で見る安斎克己は、絶えず伏し目がちに人の顔を盗み見る、青白い気弱そうな青年でしかなかった。嚙《か》む癖があるらしい、ぎざぎざになった爪の先で、真ん中から分けた長髪をひっきりなしにかきあげている。また金子のことだから、粘《ねば》りに粘って、自分のペースに巻き込んでしまうだろうと、燎平は思っていた。自分までが力を込めて、安斎克己を勧誘する気にはなれなかった。

「あっちこっちの大学から、誘《さそ》いがあったんやけど、テニスをする自信がないんや」

「自信がないて、どこか怪我《けが》でもしたんか？」

「いや、……うん、まあ、そんなとこやなァ」

「足か？　肩か？　腰か？」

金子のたたみかけるような問いに、安斎はただ苦笑を浮かべて答えなかった。金子はちらっと燎平を見た。援護してもらいたがっているのだが、燎平は知らぬふりをしていた。もったいぶっているのでも、小馬鹿にしているのでもない、ほんとうにテニスというスポーツが出来なくなって、しかもその理由をどうしても口外することは出来ない、そんなものが安斎の白磁みたいな肌の色や、血管の青く浮き出ている手の甲や、節くれた長い指から感じ取れるのだった。

「どこか、体の具合が悪いとか……」

金子の当惑したような言葉に、

「いや、……うん、まあ、そんなとこやなァ」

とさっきと同じ答え方をして、安斎はズボンのポケットからくしゃくしゃになった煙草の箱を出した。金子は調理場のカウンターまで行き、大きなアルミの盆に、そばの入ったプラスチックの椀《わん》を三つ載せて帰って来た。

「これ、僕の奢《おご》り」

人の好《よ》さそうな笑いを浮かべ、金子はわざわざ割箸《わりばし》を割ってやって、安斎に手渡した。燎平はわざと意地悪い笑みを金子に投げかけて、

「おい、俺の箸も割ってくれよ」

とひやかしてみた。金子は言われるまま、燎平にも箸を割って寄こし、そこで初

めて気づいたように、安斎に燎平を紹介した。燎平は熱いそばに、息を吹きかけ、二、三口すすってから、

「俺、高校生のとき、靫のコートで、きみの試合を観たことがあるんや。ほんまに、凄《すご》いなァと思たよ」

「いつの試合かなァ？」

安斎は訊《き》いた。あまり食べたくなかったらしく、割箸でそばを挟《はさ》みあげるだけで、口に運ぼうとはしなかった。

「暑いころや。確か、関西ジュニアの準決勝やったと思うねんけど」

「ああ……、相手は小畑いうやつやったやろ？」

「うん、そうそう」

「あれは、調子が良かったんや。神さんが乗り移ったみたいに、勝手に体が動いとった」

「うん、ほんまに、そんな感じやった」

安斎は箸を椀の中に突き刺し、両手で落ちてくる長髪をかきあげた。それから、唇をひきつらせて笑った。ひ弱な、どこかに怯《おび》えのこもった微笑であった。燎平は、はっとした。見ている人間を胸苦しくさせるような、脆《もろ》い、病的な微笑だったからである。そこに坐っているのは、あの真夏の直射日光のもとで、レンガ色のテニス

コートの上を、ひとつの完璧な機械みたいに、敏捷《びんしょう》に、流麗に、走り躍《おど》っていた小麦色の安斎克己ではなく、十代の終わりの最も溌溂《はつらつ》とした時期に、なぜか精光を失くしてしまった、いかにも影の薄そうな青年なのであった。

天窓から吹き込んでくる雨が気になるらしく、安斎はときおり顔をあげて、頭上を見ていた。

「授業は？」

と金子が訊いた。

「あるんやけど、さぼって、もう帰ろうかと思てるんや」

丘陵を取り囲んでいる樹木の緑は、六月の雨に包まれ、黒ずんで、ぐったりしている。坂道を下っていく数人の女子学生の傘を、濡れたガラス窓越しに見ていると、何か大切な取り返しのつかないものが、ゆらゆらと遠ざかって消えていくように燎平には思えた。

「俺も、きょうはもう帰ろうかなァ」

と燎平は言った。まだふたつの授業が残っている金子は、どうしようか迷っているらしかった。

「さいなら」

そう言ってゆっくり立ちあがった安斎は、もう一度、微笑《ほほえ》んでみせ、

「せっかくやけど、テニス部には入らへんから……」

と念を押し、一号館への坂道ではなく、バス乗り場への道につづく細い階段を降りて行った。しばらくして、金子はテーブルに頬杖をつき、ぽつんと言った。

「あいつ、さっき、神さんが乗り移ったみたいに、体が勝手に動いてたて、言うとったなァ」

「……うん」

「いまは、何やしらん、死に神が乗り移ってるみたいやないか」

「多分、病気でもしたんやろ」

「何の病気やろ？」

「……さあ、わからんなァ」

金子は急に話題を変え、いつになく真剣な表情で言った。

「燎平。お前、ほんまに夏子を好きか？」

黙っている燎平の頭を指先でつつきながら、

「あての女はなァ、大きな心で、押しの一手や」

それから金子は怒ったように、ふいと立ちあがり、ひとりさっさと雨の中に出て行った。

授業が始まっても、燎平は学生食堂に坐り込んでいた。テーブルに凭れ、両足を別の椅子に投げ出して、飲みたくもないコーラを、ゆっくりゆっくり口に含んでいった。大きな心になることも、押しの一手で突き進むことも、どちらも自分には出来そうになかったのである。

彼は、ひとりで大阪駅まで帰って来、あてもなく梅田新道を歩いて行った。裏通りにある大きなパチンコ屋に入り、玉を買った。乏しい小遣いは、たちまち減っていったが、燎平は執拗《しつよう》に玉を弾《はじ》きつづけた。歌謡曲と玉の流れ落ちる音と、ひしめきあった人間の声が、いつしか燎平を痺《しび》れさせていった。

やがて無一文になった燎平は、通路に落ちていた一個の玉をつまみあげ、大きな心で押しの一手と心で念じつつ、慎重に弾いてみた。玉はどの穴とも無縁の道筋を経て、ぽとりと消えた。燎平は雨の降りつづく夕暮の道を、四十分近くかかって歩いて帰った。

ある日突然夏になった……。そんな梅雨の明け方で、白い校舎や粘土色のグラウンドや、巨大な楕円形となってそれらを囲んでいる種々雑多な草や樹は、まるで自らが内から光を発しているかのように、烈しく輝いていた。

ニガリを吸って固く締まったクレーコートは、アンツーカーよりもずっと球足が速かった。燎平と金子は、まったく授業を放擲してしまって、一日ボールを打っていた。そんな日が何日もつづいた。

テニス部結成と同時に申し込んできて、そのまま一度もコート造りに参加しなかった連中は、ときおり気まずそうに、ふたりの練習風景を見物に来たが、いつしか誰も姿を見せなくなった。それきり入部希望者は現われなかったので、金子の練習相手は、結局、燎平ひとりしかいないことになるのである。

高校時代のわずか二年間を、それもそう真剣に打ち込んだわけではなかったので、テニスそのものは、燎平よりも金子のほうが数段優《まさ》っていた。ただ、金子はどうにも足が遅かった。それは、テニスの選手としては、決定的な弱みであった。燎平は、逆に足が速かったので、金子の打ってくるボールを、ただやみくもに拾いまくって、ミスしないように返していけば、五分にわたりあえるのだった。

勝ったり負けたりしているうちに、燎平はだんだんテニスが面白くなり、金子に内緒で技術指導の本を買い、夜、家の横の空地でラケットの素振りを始めるようになった。欲が出て来ると、テニスというスポーツが、どうにも手に負えない難しいものになってきて、あの安斎克己を、せめてコーチとして迎えられないものかと言い出したのは、燎平のほうであった。

「テニス部を辞めると言うとったのに、えらい心変わりやなァ」

と金子はひやかしまじりに、だがいかにも嬉しそうに言った。

「断わっとくけど、俺はもうテニス部を辞めたんや。部外者として、好きなときに、好きなように、このテニスコートを使わしてもらうぞ。俺は、無償《むしょう》で汗水たらして、コート造りを手伝った、偉大なる功労者やからなァ」

「ああ、かめへんでェ。燎平の好きなようにさせたるがな」

「えらい、寛大やないか」

「ああ、大きな心で、押しの一手や」

ふたりは汗で濡れたテニスウェアを脱ぎ、フェンスに吊《つ》るして、風に当てていた。まわりには、まったく日陰というものがなかったので、ときおり吹いてくる生ぬるい風だけが、汗を鎮《しず》めてくれる唯一の冷気なのである。遠くで、防具に身を固めたアメリカンフットボール部の連中が、何度も何度も、同じ攻撃パターンを練習していた。ヘルメットのぶつかり合う音が、そこに塗られた銀色の塗料の閃《ひらめ》きと一緒に、風に乗って流れてくる。

「あいつら、暑いやろなァ」

金子は、顎から汗をしたたらせながら、そう言った。そして、

「あいつらも、全然、授業に出よれへんなァ」

と半ば自嘲《じちょう》めいた笑いを浮かべて、タオルで頭をすっぽり包み込んだ。

「文武両道というのは、難しいんや」

文もあかん、武もあかんと燎平がつぶやくと、

「金もない、女にももてん」

金子はそう言い返して、大きな伸びをした。そのとき、誰かの近づいてくる足音がした。フェンスの向こう側に、安斎克己が立っていた。

「このコート、ほんまにふたりで造ったんか？」

安斎はフェンス越しに、感心したようにコートを眺めていた。

「一ヵ月もかかったでェ。このコッテ牛のおかげで」

燎平は、のろのろと立ちあがり、金子をコート内に招いて、裸のまま、しばらくボールを打ち合ってみせた。安斎はフェンスに指を絡《から》ませて、無表情にふたりのラリーを見ていた。

「ちゃんとシャツを着とかんと、裸は疲れるでェ」

やがて、それだけ言い残して帰っていこうとしたので、燎平と金子は慌ててあとを追った。長いフェンスをへだてて、ふたりは歩きながら懸命に安斎を誘った。安斎は小さな目を足元に落として、ただ黙っていた。

「コーチとして、週に一、二回、顔を出してくれるだけでええんや。それやったら、かめへんやろ？」

金子の言葉に、安斎は立ち停まって、ぽつりと言った。

「俺、病気やねん」

「どこが悪いねん？」

と燎平は訊いた。安斎はそれには答えず、ブルーのサッカー地のブレザーから、何やら切符らしい三枚の紙を出した。

「これ、妹に貰《もろ》たんや。よかったら一緒に行けへんかなァと思て……。そやけど、ふたりとも練習で忙《いそが》しそうやしなァ」

「何の切符や？」

金子はフェンス越しに、安斎にのしかかるように問いかけた。それは外国映画の試写会の券であった。何とか、安斎の気をひこうとしている金子は、すかさず誘いに応じた。

「行く、行く。俺、映画て大好きやねん。なっ、燎平も行くやろ？」

この大学に入学して、すでに三ヵ月もたつというのに、安斎が言葉を交わしたのは、燎平と金子のふたりきりであるらしかった。滅多に学校にも来なかったし、たまにやって来ても、ろくに授業にも出ず、そのままキャンパスをぶらぶらして帰って行くのだと、安斎は言った。

服を着換え、三人で坂道を下っていく途中で、燎平は佐野夏子と出逢《であ》った。ほとんどひと月以上も顔を合わせていなかった。夏子のほうが先に燎平をみつけて、わっと驚かすふりをして、前に立ちはだかったのだった。髪を極端に短く切って、白い、何の飾りもないブラウスと、紺色《こんいろ》のスカートをはき、素足にズック靴で、ぴょんぴょん飛び跳ねる格好をして、大袈裟《おおげさ》に懐《なつか》しがっている。

「どうしたん？……その頭」

と燎平は、かっと熱くなってきた耳のうしろあたりに手をやりながら訊いた。

「夏やもん……。涼しそうでしょう？」

「なんや、アウシュビッツみたいやなァ」

「そうやねん、家中でそう言われてるの」

しかし、その髪形は、すべての余分なものを取り除いて、夏子の持つ天性の美貌を、いっそうさらけ出してみせるようだった。燎平はしばらく無言で夏子の顔を見ていた。自分を取りつくろう気持が、一瞬、完全に消え失《う》せてしまっていた。夏子にどうしようもなく魅《ひ》かれていく自分を、燎平もまた、さらけ出しているのだった。

夏子は、ずっと自動車教習所に通っていたのだと言った。運転免許証も取ったし、車も買ってもらったと、幾分はしゃぐような調子でつけ足した。

「そうすると、黄色のベンツはどうなるねん？」

金子が、横から口を挟んだ。少し離れたところに立って、安斎は両手をポケットに突っ込み、あいかわらず落ちつかない様子で、夏子と燎平を交互に眺めている。

「あの人、もうクビにしてやった」

そして夏子は両手で口を覆って、明るく笑った。悪びれたもののない、あっけらかんとした、おかしくて仕方がないといった笑いだった。

運転免許証を取ったばかりで、誰かを乗せて走りたくて仕方ないらしく、夏子はいま来たばかりなのに、三人を送って行くといってきかなかった。テニスコートが完成したことを知ると、ちょっと見てくると言って、坂道をのぼって行った。三人は夏子を待って、大きなポプラの樹の下に行った。

「おい、これは燎平にとっては、大変に喜ばしい出来事やないか」

と金子はにっと笑って、燎平の背を押した。安斎も察しがついたらしく、初めて若者らしい白い歯をのぞかせて微笑んでいた。しかし燎平は、いつもの夏子の、それが癖なのか、企《たくら》んでいることなのか、どうにも理解のつかない、あの、ぽんと燎平を突き放してさっさとどこかへ去って行く気配が、きょうに限ってまったく見受けられない点に、なぜか異状を感じてしまうのだった。

無意識に、すぐそんな詮索《せんさく》をしてしまう自分をさして、金子は〈大きな心〉と言ったのかも知れない。燎平はポプラの巨木の下の、涼やかな日陰に突っ立って、ふとそう思った。だから、〈押しの一手〉が使えないのだ。夏子に対してだけでなく、あらゆる事がらに対して、生涯、自分はそんなふうにしか対峙《たいじ》していくことが出来ぬ男のように思えてくるのである。

夏子はすぐに帰って来た。本当に、コートの出来栄えに、驚いたようであった。

「何か、あそこの一角だけ、静まりかえってる、そんな感じね」

夏子はそんな言い方をしたが、実際、金子の丹精込めた作業ぶりは、粘土質の荒涼としたグラウンドのほんの一ヵ所に、そこだけ歪《ゆが》みのない、平らかな、不思議な緊張の漲《みなぎ》る聖地を造りあげていたのだった。

四人は車で大阪市内に入って行った。夏子の運転は、予想に反して、慎重で巧みだった。初めのうちは、「右に車や」とか、「もっと左に寄って」とか、心配そうに声をあげていた燎平も金子も、そのうち安心してしまって、さっきの安斎に対する勧誘を、熱っぽく繰り返し始めた。男たちのやりとりを聞いていた夏子は、ハンドルを握って、じっと前方を見つめながら、ぽつんとこう言った。

「安斎くん、心配なこと、全部ふたりに白状したら？　大丈夫よ、このふたりは頼りになるわよ」

それは随分唐突《とうとつ》な言葉で、初対面の安斎になぜそんな言い方を夏子がしたのか、燎平はかなりあとになって思い起こしてみても、考え及ばなかった。夏子の、生まれ持った感性と屈託《くったく》のなさから出た、粗《あら》っぽいけれど的《まと》を外さない、特殊な勘《かん》であったのかも知れなかった。

安斎はいつまでも黙りこくっていた。せっかく夏子も一緒なのだから、映画はやめにして、四人で夕涼みでもしようと、金子が提案した。車は行き先を変え、阪神国道を西に向かった。六甲の山上から神戸の夜景を眺めることにしたのである。石屋川のほとりをのぼり、有料道路に入るころ、西陽は弱まって濃いオレンジ色となり、六甲連山や、神戸の海をべったりと覆っていた。

けれども、四人はそんな景観を楽しむ余裕はなかった。曲がりくねった急勾配《きゅうこうばい》の道は、やはりまだ夏子には難しいようで、ときおりエンストをして停まってしまったり、エンジンをふかしすぎて、故障でもしないかと思えるほどの金属音をたててみたり、対向車線に大きくはみだして、下ってくるトラックの運転手に怒鳴られたりするのである。

胃が痛くなる思いで、運転席の夏子をうしろから盗み見ていた燎平は、長い髪をすっぱり切り落として、露《あら》わになってしまった、その妙にかぼそい華奢《きゃしゃ》な項《うなじ》に釘づけになった。自信たっぷりで贅沢《ぜいたく》好きで、奔放で自分勝手な夏子が、しかし、やはりどうしようもなく女でしかないことに、燎平は一瞬烈しい歓びを感じた。燎平は、かつて誰にも抱いたことのない愛《いと》しさを、必死なハンドルさばきで車を運転していく、夏子の項や小さな形の良い頭に感じていた。

山頂近くにあるホテルのティーラウンジで燎平たちはコーヒーを飲んだ。安斎が、自分が奢るから好きなものを食べろと勧《すす》めたが、はらはらしどおしで山道をのぼって来た燎平は、胃がおかしくなって、まったく食欲がなかった。金子も同じ気分らしく、胃のあたりを押さえて溜息《ためいき》をついた。

「わたし、こんなに疲れたこと、いままでなかったと思うわ」

夏子の言葉でみんな笑った。金子は黒ぶちの眼鏡を指でずりあげ、

「ほんまに、生きた心地がせなんだなァ」

と真顔でつぶやいた。安斎が心配そうに、

「しかし、まだ降りて行く仕事が残ってるでェ」

「大丈夫よ。スキーで鍛《きた》えてあるから、降りるのは得意なの」

「大回転で、うまいこと降りて行ってや」

燎平はそう言ってから、安斎がテーブルの上に置いている財布《さいふ》に目をやった。学生には不釣合《ふつりあい》なオストリッチの財布には、一万円札が数枚入っていた。

「おい、金子。この人も、相当リッチみたいやでェ。お言葉に甘えて、ステーキでも食べさせてもらえ」

勝手に安斎の財布の中味をしらべていた金子は、

「これから俺のこと、金子と呼び捨てにしてくれ」

と言って、顔をくしゃくしゃにして笑った。安斎も、おかしそうに笑い、それか

らすでにそのつもりになっていたらしく、自分がどうしてもテニスを辞めなければならなくなった理由を、言葉をくぎりながら、ゆっくり話しだした。

安斎の祖父は神戸の元町に貴金属店を開いて、一代で支店を五つも拡張するまでになったが、四十六歳のとき、重い精神病にかかって、数年の療養生活ののち、カミソリで手首を切って死んだ。跡を継いだ彼の父は、入り婿《むこ》ではあったが、その店の全国チェーン化を成功させ、六人の子供にも恵まれて、いたって裕福な健康な日々を過ごしていた。

「親父も、学生のころ、テニスの選手やったから、息子を一流の選手にしたかったんやろ。兄貴はふたりとも体が弱かったから、一番元気そうな俺を、小学生のときに、テニスクラブに入れて、ちゃんとコーチもつけて、まあ言わばテニスの英才教育を始めたんや」

と安斎は言った。彼はもともとそうした素質を持っていたらしく、コーチも驚くほどの上達ぶりで、中学にあがるころには、特別に、当時デ杯にも出場したふたりの選手に、つきっきりで指導を受けるようになった。中学時代、すでに幾つかの大会で優勝し、本人もほぼ自分の進路を定めて、トレーニングにうちこんでいった。

彼が高校一年のとき、大学生であった一番上の兄が、ノイローゼを患《わずら》って入院した。入院と退院を何回も繰り返したのち、自宅の納屋で首を吊って死んだのだった。

その際、彼は祖父が、兄と同じ病の末に自裁《じさい》したことを知ったのであった。

「別に、そのときは気にもせえへんかった」

とたてつづけに煙草を吸いながら、安斎は話をつづけた。

彼が、決定的に、不気味な血の流れを自覚したのは、高校三年生の六月であった。二番目の兄が、また同じ経緯ののち、自殺とも事故とも判別できない形で、明石《あかし》の海に浮いていたのだった。

「図書館に行って、精神病理に関する本を読み漁《あさ》ってみたら、この病気の遺伝の確率は、ものすごく高いんや。ほんまに血の凍るような思いになったでェ」

それから二ヵ月後、彼は東京へ遠征試合におもむいた。心の中には絶えず不安があった。コートで汗にまみれて走り廻っているときも、どうかした瞬間、そのことが頭に浮かぶのである。

勝ち進んだ彼は、決勝戦で、その大会で初めてのフルセットにもつれ込まされてしまった。

「壁みたいに、ただボールを返して来るだけのやつやったけど、いつのまにかペースに乗せられてたんや」

安斎はくわえ煙草のまま、両手でしきりに長髪をかきあげていた。

長い試合で、二時に始まったのに、六時近くになっても決着がつかなかった。あと一ゲームを取れば優勝が決まる状態で、コートチェンジがあった。夏の夕暮で、長い西陽がそのレンガ色のコートを黯《くろ》く燃やしていた。それまで陽をあびていた彼は、コートチェンジのため、日陰に覆われた反対側のコートに移った。そこからネットの向こうを見つめると、対戦相手の全身が、いやに、はかないものに映った。

夕暮の、日陰の冷気を思いきり吸い込んで、レシーブの構《かま》えで身を屈《かが》めたとき、かつて味わったことのない激烈な恐怖感が、全身を走り抜けていったのである。いまのこの瞬間にも、自分は発狂するかもしれないという予感であった。それは彼の下半身から力を奪って、もはや正常なフットワークを不可能にさせてしまった。「気が狂う、気が狂う」と彼は思った。そうしてまわりを捜した。そんな自分を助けてくれそうな人間は、誰もいないのであった。

彼はいっときも早く、その場から逃げていきたかった。二、三球のラリーのあと、彼はわざと転んだ。足首をねんざしたふりをして、あっさり棄権《きけん》してしまったのだった。彼は大袈裟に足をひきずり、ベンチに戻ると、周期的に襲ってくる強い不安感をじっと抑えようと努めた。「気が狂う」と、彼は何度も心で叫んだ。「俺は、発狂する」。それは、死ぬよりも恐ろしいことのような気がした。

付き添《そ》っていたコーチが、早くレントゲン写真をとるよう促したが、彼はただ生返事をしていた。怪訝《けげん》な面持《おもも》ちのコーチをせかせて、その夜の飛行機で帰った。家に着くころ、心に生じた恐ろしい予感と不安は、少しずつ治まってきたが、とうとう忌《いま》わしい狂いの血が、体の中を巡《めぐ》り始めたという思いは、どうにもぬぐい去ることが出来なかったのである。

「テニスコートに立って、ラケットを握ると、気分が悪くなるようになったんや。あのときの、もうどうにも抑えられへんみたいな、恐怖感が、テニスをやると心に甦《よみがえ》ってくるんや」

まるで梅干を見ただけで、唾液《だえき》が口中に湧いてくるように、テニスをすると、条件反射的に、「気が狂う」と思うようになった。そうすると、たちまち体中から冷汗が噴き出て、下半身が痺れてしまう。精神安定剤を服用したが、ききめはなかった。

「ほんまに、死に神にとりつかれたみたいやねん。神経科の医者にもかかって、いろんな心理療法を受けたけど、あかんかった」

安斎は、幾つかの大学から、テニスの選手として進学を勧誘されたが、どれもみな断念しなければならなかった、とコーヒー茶碗をいじくりながら語った。

高校を卒業すると、両親のはからいで、転地療養することになった。母と一緒に、伊豆の別荘に住んだ。だが同じだった。自分はいまにも突然発狂しはしないかという不安は、彼の中で絶えずさざ波立っていた。それはときおり大波となって、彼をいわば狂人と同じ状態にさせ、そのうち治まると、いつ荒れだすか見当もつかない黒い無数の小波《さざなみ》みたいに、いつまでも騒ぎ踊っているのだった。そして昨年の夏、とうとう精神病院に入院するまでになった。地獄みたいな毎日だったが、大波はやがて静まって、退院出来る日の近いことを自覚したとき、彼は無性に母が懐しかった。矢も盾もたまらず、母に逢いたいと思った。

「とにかく、お袋に逢いとうて逢いとうて……。それ以来、その変な病気が治りかけてくると、必ずお袋に、ただもうひたすら逢いたいと思うようになってしもた」

安斎は話し終えると、掌にいっぱい汗をかいたらしく、ハンカチで丁寧《ていねい》にぬぐった。

「そやから、テニスは、もうでけへんのや。いつまた大波が襲ってくるかわからへん」

燎平も金子も夏子も、安斎が話し終えたあと、ただ言葉なく、じっと安斎を見ていた。何を、どう言ったらいいのかわからなかった。自分たちの、考えの及ばない、不思議な心の世界のことであった。

「気が狂ったら、どないしょう。お祖父《じい》ちゃんや、ふたりの兄貴みたいになったらどないしょう。何をしてても、その心配が、まといついて離れよれへん」

と安斎は、確かに怯えの漂った目でつぶやき、ティーラウンジの窓から、暮れてしまった戸外を見やった。

四人はホテルを出ると、車で少し下って、道の曲がり角にある展望台まで行った。

「きれいやねェ」

と夏子は運転席に坐ったまま、神戸の夜景を見つめて言った。夥《おびただ》しい人家の灯《ともしび》と、その向こうにひと筋流れている高速道路のオレンジ色の光と、ゆっくりと移動して行く無数の自動車の灯が、そのもっと向こうに点滅している港内の数隻《すうせき》の貨物船の灯を、はかない、ものさびしいものにさせているのだった。

燎平は車を降りて、展望台の端まで行った。風は冷たくて、セーターでも羽織りたいぐらいだった。彼は小さなベンチに腰をおろし、腕組みをして、長いあいだ、夜景を眺めた。街路灯の青い光が、やっと届いていたが、燎平のところからは、車内の三人の様子は見えなかった。

「ちょっと寒いけど、気持がええぞォ」

燎平の誘いで、安斎が車から出て来て、横に並んだ。

「なんで、治りかけてくると、あんなにもお袋に逢いたくなるんやろ。……なんでやろ」

と言って、寒いのか、胸のあたりを掌《て》でこすった。気がつくと、いつのまにか、うしろに夏子と金子が立っていた。夏子は、ぽつんと、大丈夫よと言った。

「大丈夫よ。絶対に大丈夫よ」

夏子はいつもの調子を取り戻して、うしろから安斎の肩を叩《たた》いた。燎平は、ふと、安斎の両親のことを思った。どんなに辛《つら》いことだろうと思った。彼は振り返って、頭上の夏子の顔を仰いだ。街路灯の光は、夏子の背後でおぼろに輝いていたため、燎平には彼女の表情がわからなかった。わからないまま、燎平は夏子の、首から上の黯い影をいつまでも見つめた。

随分遅くまで、四人は展望台に佇《たたず》んで、眼下の、そこだけ遠い別の世界のように思える、静まりかえった灯のゆらめきを見おろしていた。

夏子は、三人を阪急電車の六甲駅まで送ってくれた。別れしな、夏子が自分に何かささやいたような気がしたので、燎平は金子と安斎を待たせて、小走りでまた車に戻った。

「何か言うた？」

「……うん。こんなに長い時間、車を運転したの初めてよって言うたの」

「……ああ、そうかァ」

「わたし、きょうは、もうくたくたになったわ」

いかにも疲れ果てたという感じが、夏子の顔全体に漂っていた。

「頬っぺたが、えらい赤いぞォ」

「うん、さっきから、ちょっと火照《ほて》ってるの」

燎平は車の窓から両手を差し入れて、夏子の頬を、掌で挟んだ。自分でも不思議なくらい、自然に両手がそこに行った。そんな感じだった。

「ほんまや。えらい熱いなァ」

「ときどき、急にこんなふうになるの。……みんな、それぞれ、何かを持ってるのよ。私のはこの程度やけど……」

夏子の車が、交差点を左折して、視界から消えてしまうまで、燎平は、ふたりの友を駅に待たせたまま、ぼんやり見送っていた。

安斎克己が、再び明石にある精神病院に入院したのは、それから二十日ほどたった、夏休みに入る前日であった。

金子は見舞いに行くといってきかなかった。他の病院と違って、家族以外の者がそう簡単に面会できるとは思えなかったので、燎平は気が進まなかった。せめて安斎に、冷たいアイスクリームでも食べさせてやろうと、金子は執拗に言った。

「あいつ突然、夜遅うに電話してきて、あしたから入院する、そない言うて、あとは何も言わずに黙っとった」

「かえって迷惑になるにきまってるがな」

「逢えんでもかめへんのや。病院の人に、ことづけるだけで」

国鉄で神戸の三ノ宮まで行き、アイスクリームを買った。紙箱にいっぱいドライアイスを入れてもらい、また電車に乗った。明石駅からバスに乗り、海とは反対側のゆるい坂道をのぼって行った。

金子も燎平も、ときどき冗談を言って笑い合ったりしたが、すぐに真顔になって、蒸し暑い車内に貼《は》りめぐらされた広告を、見るともなしに見ていた。

バスを降り、小さな商店街を抜けて北へ歩いていくと、すぐ畑や田圃《たんぼ》がひろがり始め、新興住宅地らしい、同じ型の家が並んでいるところに来た。燎平はそこで道を訊いた。指差す地点を眺めると、丘陵の中腹に、白い三階建ての建物が見えた。

「見えてるけど、これは歩いたら遠いでェ」

またとぼとぼ道を進みながら、金子は顔をしかめてそう言った。暑いなァ、暑いなァと金子は同じ言葉をしきりに繰り返した。

「暑いなァ」

「うるさい！　横でそない何遍《なんべん》も言われたら、余計に暑なるやないか」

「喉《のど》が渇いたなァ」

「アイスクリーム、食べよか？」

「アホ、……これは」

紙箱を大事そうに反対側の手に持ち替えて、金子は何となく元気のない口調で、

「ほんまに、あの病気は遺伝するんやろか？」

と言った。そして、

「不思議やなァ」

そうつぶやいて、前方の白い建物に顔を向けた。

「そうとは限らへんやろ。ただそういう傾向があるというだけやと思うなァ」

だが、もし本当にそうだとしたら、それは何と恐ろしいことだろうという思いがあった。

油蟬の鳴き声に包まれて、ふたりは病院への並木道をのぼった。雑貨店と小さな食堂があり、それを通り過ぎると、大きな門の前に出た。門から病院の玄関までは相当距離があった。そこから見ると、白い建物の窓には、みんな鉄の格子が施《ほどこ》してあった。

受付に坐っている五十近い小太りの看護婦は、面会はおろか、見舞品までも受け取ろうとしなかった。安斎克己が、確かに入院しているともいないとも明言しなかった。家族の同意書がなければ答えられない、それが規則なのだと言った。

患者の姿はまったくなかった。待合室にも誰もいなくて、〈面会日は火曜日のみ〉と書かれた紙が貼られている。廊下の一角に扉があったが、それにも鉄の格子が頑

丈に施されている。かすかに、人の笑い声が聞こえ、階段を駈けのぼって行くスリッパの音が、しんと静まりかえった建物の中に響いているのだった。

ふたりはあきらめて、アイスクリームの、霜が一面に噴き出ている紙箱を持ったまま、木洩《こも》れ陽《び》に覆われた道を下った。三年前に観た、安斎の見事なフットワークが、どうかすると目の前に立ちのぼってきて、燎平は言いようのない悔《くや》しさを感じた。

燎平と金子は、さっき道を訊いた地点まで無言で歩いて来た。そこで立ち停まり、道ばたの石に腰をおろして、遠くの白い建物をもう一度見つめた。あの中で、安斎はいまどうしているだろうと、燎平は思った。

「俺、安斎とダブルスを組んで、大きな試合に出てみたかったなァ」

と金子が言った。

「ちぇっ、気が狂ったら、狂ったでええやないか。ひらきなおって、気にせなんだらええんや」

そう言ってから、燎平は金子の手から紙箱を奪い、勝手に包装をといて、アイスクリームにむしゃぶりついた。金子も両の手にアイスクリームを持ち、交互に、半ばやけくそになってくらいついていた。金子は病院に顔を向け、ぽつんと言った。

「……病気て、嫌なやつやなァ」

「気が狂ったら、狂ったでええやないか」

さっきと同じことを、こんどはさらに大声で言って、燎平は立ちあがった。その瞬間、安斎の苦しみが、その烈しい恐怖が、ある実感として燎平を押し包んできた。彼は息苦しさを覚えながらその場を離れて行った。

夏子も混じえて、四人で六甲の山上から見た、神戸の夜景がしきりに思い出されていた。夏子の熱く火照った頰を、自分の掌で包んだ歓びも、また同時に思い出されていた。燎平は、まだ道ばたの石に坐り込んでいる金子を呼ぼうとして振り返った。真夏の午後の、暑い盛りの太陽が、安斎のいる遠くの建物を照らしていた。彼は食べかけのアイスクリームを、金子の傍《そば》に放り投げた。それで金子はやっと腰をあげた。

治りかけてくると、ただひたすら母に逢いたくなるという安斎の言葉は、その底に、何かとてつもない哀しい意味が含まれていたように、燎平には思えてくるのだった。

3

地下街の奥から生ぬるい風がせりあがって来て、階段をのぼっている若い女のスカートをめくった。

「ちぇっ、もうひと息いうとこやったのに、惜しかったなァ」

大沢勘太は、ボタンが九つもついた丈《たけ》の長い学生服をからげあげ、ズボンのポケットに手を入れながら、わざと聞こえるような声で言うと、スカートを押さえたまま階段の途中で立ち停まってしまった女を追い越して、梅田の東通り商店街に出た。それから、燎平のほうを振り返り、わけのわからない笑みを投げかけてから、夕暮のキタの盛り場の中を、肩を揺すって歩いて行った。

燎平は大きなボストンバッグを持った腕の、その同じ腋《わき》の下に、テニスのラケットを三本挟《はさ》み込んだ格好で大沢について行った。いやな相手につかまったなと思ったが、別段たいした企《たくら》みもなく気楽に誘《さそ》ってくれているようなので、そのままついて来たのだった。

「そやけど、いまの娘《こ》、可愛かったな」

燎平のそんな言葉で、大沢はもう人混みのどこかにまぎれてしまったさっきの娘の姿を捜すように振り向くと、目を瞠《みひら》いて伸びあがってみせた。大沢は高校時代の級友で、一年浪人して、あるマンモス私大に入り、応援団に入部した。高校時代は生物研究部というところで熱心に蜘蛛《くも》の飼育に励んでいたのに、大学に入った途端、よりによって燎平の最も苦手な、冬でも夏でも長い学生服を着ている種族になってしまった。背は低かったが、筋肉質のがっしりした体つきだった。高校時代は、仲間から幾分の蔑《さげす》みのこもった口調で、「カ、カ、カンタ」と呼ばれていた。少しどもる癖があって、自分の名を言う際、必ず「オオサワ、カ、カ、カンタ」とやってしまうからであった。

「しかし、えらい変わりようやないか。応援団とはなァ」

「たったの四年間や。たったの四年間ぐらい、男らしい世界に身を置いてみるのもええやろ」

大沢は、たぶん先輩の誰かから吹き込まれたのに違いないような言葉を吐いて燎平を見つめ返した。

「あーあ、たまらんなァ」

「何がや」

「そのけったいな学生服の、どこが男らしいねん。だいいち、ようもまあ、暑ないこっちゃ」

「お前、これから行くとこで、そんなこと言うなよ。うっかりそんなこと言うたら、目ェも鼻も、バラバラにされるぞォ」

燎平は足を停めて言った。

「そんな恐ろしいとこ、行くのんいややなァ」

しかし大沢は、そんな燎平の言葉にもおかまいなしに、どんどん歩を進めて行くので、燎平も何となく引きずられるようにして、再び歩き始めた。

「そやけど、燎平かて、まっくろけの顔して、ラケット三本も持ってるやんけ」

「あれ、お前、どもるのん、直ったみたいやなァ」

燎平は言ってしまってから、しまったと思った。すれちがう人を避けようともせず、雑踏《ざっとう》の中を胸を張って一直線に進んで行く大沢が、目だけを燎平に注《そそ》いで睨《にら》みつけたからである。ところが、大沢勘太はそれから道行く人が振り向くほど大きな声で笑った。いかにもわざとらしい、鷹揚《おうよう》ぶった笑い方をしておいてから、彼は言った。

「四ヵ月間、まい日、腕立て伏せを五百回ずつと腹筋運動を三百回ずつやらされてみィ、言葉ぐらい簡単に口から出て行くようになるで」

「腕立て伏せを五百回に腹筋を三百回！」

鼻柱が脂ぎって、大沢の顔つきは確かに高校時代とは別人のように逞《たく》しくなっていた。そしてそれだけではない、集団の中での服従と鍛練《たんれん》によって造り出されたと思われる不敵なものが、大沢の剽軽《ひょうきん》な顔立ちに、ある奇妙な落ち着きを与えているのだった。

ロココ調の装飾を施した大きな喫茶店の前に立って、大沢は、

「ここや」

と言った。自動ドアが開き、大沢がその暗い内部に入って行ってからも、燎平はしばらく通りに立ってためらっていた。〈白樺《しらかば》〉という店名と、そのロココ調とが、どうしても燎平の心を押し戻すのである。

「何してんねん、入ってこいよ」

大沢がそのとき笑顔で手招きしてくれなかったら、燎平はどんなに誘われても、そのまま帰ってしまっていたはずだった。暗い穴から顔を出して旅人に誘いかけてくる、いたずら狸《だぬき》みたいな大沢の笑顔は、燎平がその後、〈白樺〉に初めて足を踏み入れた日のことを思い出すたびに、必ず甦《よみがえ》ってくるのである。

「これが、なんで〈白樺〉やねん？」

燎平のつぶやきに、大沢は喫茶店の壁を掌《て》で叩《たた》く動作で答えた。壁の、ちょうど目の高さの部分が、ずらっと一列、白樺の樹皮で出来ているのである。内部の装飾も大理石や大袈裟《おおげさ》な金具でロココ調に造っているくせに、どういうわけか壁の一部分だけ、白樺のざらざらした斑《まだら》な樹皮を張りつけている。燎平は、この喫茶店の経営者の顔立ちから服装まで、およその想像がつく気がして、

「そやけど、白樺の皮を張ってあるから〈白樺〉やなんて、そんなええかげんなもんやろか」

と言ってみた。とんでもないところに来てしまったと思ったが、大沢のうしろについて、仕方なく地下への細い階段を降りた。

静かな映画音楽が流れていた。階段の壁にも白樺の皮が張ってあったが、ところどころはがされて、そのあとにボールペンで判読不明の落書きがなされている。〈女性専用ルーム〉と書かれた小さな電飾板《でんしょくばん》のまわりに赤いネオンが点《つ》いていた。

「女性専用？　おい、女性専用て書いてあるがな」

「ええから、ええから。地下はなァ、俺らの専用ルームなんや」

長方形の地下室に、紫色のテーブルと椅子《いす》が七つ並んでいた。隅のテーブルに、大沢と同じように学生服を着込んだ男たちが四人坐って、こちらを睨んでいた。

「エッス」

と大沢が腕をうしろに組み、頭を下げて挨拶《あいさつ》した。男たちは、みんなおもいきり股《また》を開いて、所在なげにビロード地の椅子に腰かけたまま、無言で燎平を見つめた。

「僕の友達で、椎名と言います。テニス部の合宿地を捜してるんですが、もう時期が時期だけにどこも満員で困ってると言うので、端山《はやま》さんにお願いしてみたらと思て、つれて来ました」

「どこのテニス部や?」

端山と呼ばれた男は、太い声でゆっくりそう言った。燎平は、直立不動の姿勢で、自分の大学名を告げた。大沢がそうしているので、燎平もつられて同じ格好をしてしまったのだった。そうなると、相手が許可を与えてくれるまで、形を崩せなくなってしまい、燎平はときどき並んで立っている大沢の様子をうかがいながら、身を固くさせていた。

「そんな大学、どこにあるねん?」

ともうひとりの口髭《くちひげ》を生やした学生が訊《き》いた。

「ことし出来た大学や。幼稚園から高校までのボンボン学校が、大学まで作りよったんや」

短い髪にコテを当てて、べったりオールバックにした痩《や》せぎすの学生が、露骨に揶揄《やゆ》する口調で言った。

「ことし出来たばかりの大学ですけど、皆さんの行ってはる大学より、試験は難しいはずです」

思わず、かっとして燎平はそう言った。殴《なぐ》られるかも知れないと思ったが、殴られたって平気だという思いが、一瞬心の底を走ったのである。

男たちは、ほんのしばらくのあいだ、無言で顔を見合わせていたが、それから身をのけぞらせて笑い始めた。燎平も、わけのわからないまま笑った。大沢だけが、笑わずに立っていた。

「まあ、そんなとこに立っとらんと、ここに坐れや。お前は、おもろいええやつや。そんな気がするわ」

口髭の学生がそう言って坐る場所を作ろうと、体をずらしてくれたので、燎平はラケットとボストンバッグを通路に置き、言われるままに腰をおろした。

「ほんまに、俺らの大学は、最低の大学やからなァ。なにせ、俺が合格したぐらいやから」

オールバックの学生は、にやにや笑って燎平を見ていた。笑うと、いやに無邪気な顔になった。前歯が一本、銀色に光っていて、それが学生らしくない、すれた粗野な印象を与えているのである。けれども決していやな人間ではない、どこか善人らしい感じも、その口元に持っていて、燎平は、こうした類《たぐ》いの学生たちも、そんなに頭から毛嫌いしてしまうことはないのだなあと思っていた。

「テニス部やから、テニスコートのあるところでないとなァ」

と端山が言った。端山だけが、理知的な唇をしていた。端山のものらしい、物静かな言葉つきが、少しつりあがった長い目をより意志的に見せるのである。仲間と同じような学生服を着て、同じように短く髪を刈り込んでいたが、端山だけが、その姿全体に、ある明晰《めいせき》さをたたえていた。

「神崎、きょ年の夏、合宿したとこに、テニスコートがあったなァ？」

と端山は口髭の学生に訊いた。神崎と呼ばれた学生は、眠そうな目を少しのあいだ遠くに注いで考えていたが、ポケットからチューインガムを出して、口に放り込み、しばらく嚙《か》みまわしておいてから、投げやりな口調で言った。

「あった、あった。東京の大学のテニス部のやつらが、合宿に来とった」

「あそこやったら、多少の無理はきくけどなァ」

「それ、どこですか？」

燎平は端山が胸ポケットから手帳を出すのを見ていた。

「長野県の白馬《はくば》や」

「白馬……」

「知り合いのおっさんが、民宿をしとるんや。近所に公営のテニスコートがあったと思う」

「白馬か、ちょっと遠いみたいですねェ」

「遠いけど、涼しいて、そらええとこやぞォ」

神崎は、思い出し笑いをしながら、オールバックの学生の肩をついて言った。

「なあ、ええとこやったな、高末《たかすえ》ちゃん」

高末は銀歯を光らせて笑い、

「ええめをしたのは、端山だけや」

「何しとんねん、坐れよ」

端山の声で傍《かたわ》らを見やると、大沢はうしろに腕を組んださっきの格好のまま、ずっと立ちつくしていた。

「エッス」

一礼して、大沢は隣のテーブルに腰をかけ、そこでやっとくつろいだ表情に戻って煙草をくわえた。

「もうそこ以外は、満員やろ。とにかく、夏休みに入ってから、合宿地を捜そうなんて、なんぼ俺でも、無理な相談や」

「……はあ」

「そこでよかったら、紹介したるけどな」

そのとき、階段で下駄の音がした。長身の学生らしい男が降りて来て、端山たちの一団に軽く挨拶しておいてから、反対側の隅のテーブルに坐った。ぶあつい本を数冊持ち、右肩を下げて猫背で歩く姿を見ていた燎平は、どこかで見たことがあるような気がして目を凝《こ》らした。地下の店内はとりわけ照明を暗くしてあり、燎平の坐っている場所から、男の顔は判別出来なかった。すると神崎が席に坐ったまま首だけうしろに廻して、男に声をかけた。

「さっき、そこに客が来よったから、ちょっといやがらせして、帰らしたったぞォ」

「……はあ、どうも」

声を聞いて、燎平はやっぱり木田公治郎だと思った。予備校で知り合った学生で、一浪して目標だった京都の大学の法学部に合格した。途中で予備校を辞《や》めてしまった燎平は、木田とはそれっきり逢《あ》うこともなかったが、やはり同じ予備校の仲間から、彼のその後のことを耳にしていたのである。燎平は席を立ち、通路を歩いて、木田のいるテーブルに近寄って行った。

「よお」

燎平の声に顔をあげて、木田はしばらく不審気にうかがっていたが、やっと気づいた様子で、

「よお、よお、よお、燎平やないか」

と大きな声で叫んだ。

「えらいとこで逢《お》うたなァ。……何しに来たんや、こんなとこに」

「お前こそ、こんな喫茶店で、何をしてるんや」

燎平の問いに、木田は照れ臭そうに笑い返して、テーブルの上のほうを指差した。

「勉強やがな」

「勉強……？　何の勉強や」

「法律の勉強や」

司法試験を受けるために勉強を始めたのだが、なぜかこの喫茶店の地下の席が静かで落ち着けて、勉強がはかどるのだと、木田は声をひそめて説明してくれた。

「あの応援団の連中が陣取ってるから、ほかの客は途中まで降りて来ても、あわてて上に引き返しよる。たまに降りてくる客はおるけど、あいつらに睨まれて、早々に引きあげてしまうんや。店のやつも註文さえ受けたら、あとは滅多に降りてけえへんし、音楽も静かやし、それにこの喫茶店、慣れたら、なかなか心が静まって居心地がええんや」

「へえ、こんなとこに勉強をしに来るんか。お前も相変わらずやなァ」

燎平は、予備校の模擬試験でも飛び抜けて成績の良かった木田公治郎の、浪人時代に較《くら》べて幾分明るくなったように思える顔の動きを眺めた。それでも、他の者よりもはるかに、目や眉や口元の動きは物静かで、言葉の抑揚《よくよう》の大きさと奇妙な対照をなしているのである。

木田はウェイターの運んで来た緑色のソーダ水を一口飲んで、

「そのうえ、俺の指定席や言うて、あいつらがこの席をちゃんとあけといてくれるんや」

神崎が席から伸びあがって、間延びした声で言った。

「なんや、お前ら、知り合いかいな」

「おんなじ予備校に行ってたんです」

燎平が返事をすると、

「予備校は一緒やったのに、行ってる大学には、どえらい差があるやないか。かたや国立、かたや……」

高末がそう叫び返してきた。

「燎平は、どこの大学に入ってん？」

いちばん訊かれたくないことを木田から質問されて、燎平は一瞬口をつぐんだ。するとと木田はすぐに合点がいったように、学生服の連中をそっと指差し、

「ああ、あそこか？」

と言った。それから腕時計を見やり、

「七時や。さあ勉強、勉強」

木田は、ぶ厚い本をテーブルの真ん中に置きかえてそう言い、あとは燎平など見向きもしないといった態度でページを繰っていった。

「あいつ、ほんまにまい日、ここで勉強してるんか？」

元の席に戻って、燎平は大沢に訊いた。大沢はたいして興味を示さないふうに、無造作に頷《うなず》くと、端山のくわえた煙草に素早く火を点けた。見ていると、大沢は絶えず端山のすることに気を配っていた。煙草に火を点けるのは勿論《もちろん》、端山のいるテーブルに水がこぼれていれば、さっと立ちあがって自分のハンカチで拭《ふ》き取るし、端山が靴をぬいで椅子にあぐらをかくと、すぐに靴をそろえてテーブルの下にしまうのである。

「とにかくこの四月から一日も休まんと、閉店の十一時まで、あの席でお勉強をなさるのや。百二十円のソーダ水で、四時間も粘《ねば》りよる。しかし、まあ、見あげた根性やで」

神崎がチューインガムを嚙みながら、顎《あご》を突き出し、遠くを見おろすような目つきで燎平を眺めた。

「とにかく、ここはけったいなやつばっかりが来よるよってに、お前もあんまり近

「寄らんほうがかしこいでェ」

 梅田の地下街で偶然大沢に逢って、立ち話の途中、たまたま合宿地捜しに苦心していることを言ったら、先輩のひとりに顔の広いのがいるから頼んでやると、強引にここまでつれてこられたのである。

　用件さえ片づいてしまえば、燎平とて二度と顔を出したくはなかった。だいたいロココ調の、紫色を基調にした、しかもどういうセンスだか白樺の樹皮を張りめぐらした喫茶店などに、燎平は足を踏み入れたくなかった。しかも女性専用ルームと標示された地下には、女性客なんかひとりも降りて来そうになく、端山を中心とする脂ぎった学生服の連中がたむろしているのである。

　だが、どうしても適当な合宿地がみつからないとすれば、ここはひとつ端山の世話になるしかないと考えて、燎平はそのままあっさり帰ってしまうことも出来ず、ぼんやりアイスコーヒーを飲んでいた。

　黒い背広の上下に、同じ色の蝶ネクタイをした男が、ゆっくりした歩調で階段を降りて来て、店内を見廻した。端山以外の学生たちは、いそいで立ちあがり、エッスと挨拶してから愛想笑いを投げかけた。男は無表情に近づいて来て、あいている椅子に腰を降ろし、

「きょうは、えらい集まりが悪いやないか」

と言った。

「支配人、こないだは、どうもご馳走《ちそう》さまでした」

高末が、首のうしろを掌で撫《な》でながら、また頭を下げた。支配人と呼ばれた男は何かを思い出したように頷き返して、

「お前は酒癖さえ悪なかったら、まだましな男やけどなァ」

とつぶやいた。高末はいっそう恐縮したような仕草で頭を掻《か》いた。男は立ちあがり、

「ほんまに、地下にはろくな客がけえへんなァ。二階は二階で、アベックが昼日中から乳くり合《お》うとるし……」

そんな言い方をして階段をのぼって行った。

「あれ、誰？」

燎平が訊くと、

「ここの支配人や。俺らの先輩になるんや」

大沢はそう答えて、何かを言おうとしたが、端山がまた煙草をくわえたので、火を点けるため、慌《あわ》てて立ちあがった。

「先輩て、あの人も応援団の出身か？」

それまで黙っていた端山が、首を左右に何度も曲げながら、

「新入生をしごき過ぎてなァ、ひどい怪我《けが》をさせてしもて、それで退学になったんや」

「……はあ」

「あれも、かっとしたら、頭がおかしなってしまう人やからなァ」

「よう似たのが、来よったぞォ」

神崎の言葉で、階段のところを見ると、カッターシャツのボタンをあけ、その胸元を指先でつまんでひらひらさせた男たちが五人降りて来た。端山たちの仲間らしく、それぞれ、ようとか、おうとか、声を出して乱暴に腰かけ、テーブルの上に立てかけてある紙ナプキンで汗をぬぐった。そして、その中のひとりが、ああ、しんどと大声でわめいた。

「八時間パチンコやっとった。八時間やでェ。チクショー、いかさまの台にはめられた」

「この人らも、応援団か？」

燎平は小声で大沢に訊いた。大沢はにやっと笑い、燎平の耳元に口を寄せてささやいた。

「R大の空手部がふたり、K大の拳法部がふたりや」

それから三十分もたたないうちに、同じタイプの学生たちがそれぞれにやって来て、白樺の地下はほぼ満員になった。みな、あちこちの私立大学の、応援団や空手部や拳法部の部員たちであった。

夕刻になると、こうして端山たちの仲間でいっぱいになり、それでけっこう採算が取れるらしく、店の者も別段彼等の出入りを拒《こば》む様子もなく、そのまま好きなようにさせているのである。

席を立つきっかけがなかなかつかめないまま、燎平は彼等に混じって、いつまでもストローを折り曲げたりねじったりして、いじくっていた。いったい何が目的で、こうやって趣味の悪い喫茶店の地下にたむろしているのかと思った。

燎平も、浪人時代のほんの一時期、予備校の近くの小さな喫茶店に顔を出し、夕方まで所在なく坐り込んで、友人たちと馬鹿話にふけっていたことはあった。しかし、この白樺の地下で無気力に股をひろげて、煙草をふかすかチューインガムを噛みまわすか以外、他に何をしようともせず腰かけている屈強《くっきょう》そうな若者たちの眠たげな目つきは、部外者である燎平さえも一緒に絡《から》め込んで、どこか暗い別の世界にゆらゆらと落下させて行くような安息と静寂を生み出しているのだった。

ざわつくのは、誰かがやって来たときか去って行くときだけで、あとは一様に沈黙して静まり返ってしまう。確かに木田の言った、心が静まってくるという言葉にふさわしい空間が、汗臭い、節くれだった太い指をした、卑語《ひご》と荒声こそふさわしいかと思える若者たちによって作り出されていたのである。

「どうや、白馬でよかったら、民宿の親父に電話をかけたるで」

突然、端山が燎平に話しかけてきた。手帳から写し取った電話番号が、マッチの中箱の裏に書いてあった。彼はそれを指で示しながら、燎平を見ていた。

「ええ、とりあえず予約が出来るかどうか、確かめたうえで、決めたいと思うんですけど」

「そら、そうやなァ」

端山は立ちあがり、暗がりの中をうかがっていたが、木田のいるいちばん奥のテーブルのあたりに坐っていたひとりの学生を呼んだ。

「おい、ガリバー、電話をかけさせてくれ。長距離や」

ガリバーと呼ばれた学生は、緩慢《かんまん》な動作で近寄って来て、燎平を見おろした。どこかの大学の野球部の選手らしく、大きなボストンバッグとバットケースを持っていた。鼻柱が太く、顎が張り、いかり肩で幅広い尻をしていた。癖のある顔つきだったが、優《やさ》しい目をした大男で、ガリバーとはまた何とうまいあだなをつけたものだろうと、燎平は小さく会釈《えしやく》をして見つめ返した。

「長距離て、どこ？」

ガリバーは先に立って階段をのぼって行きながら端山に訊いた。

「長野の白馬や」

「白馬！　そらまたえらい遠いなァ」

どこへ行くのかと思っていると、ガリバーと端山は白樺を出て、商店街を阪急百貨店のほうへ少し戻り、大きな靴屋の角を右に曲がった。白樺の中は冷房がきいていたので、靴屋と棟《むね》つづきのお好み焼き屋の前を通り過ぎるころにはどっと汗が噴き出て来た。ソースの焼ける匂いが、いっそう熱気を誘ってくる。ガリバーと端山は細い路地をこんどは左に折れ、しばらく行ってからまた右に曲がった。すると道は突き当たりになり、そのいちばん奥に質屋と中華料理屋が向き合っていた。〈善良亭〉と染め抜かれた油まみれの暖簾《のれん》をくぐって開き戸をあけると、

「おかえり」

汚れた白衣を着た中年の女が、大きな盆にラーメンの入った碗を載せたままガリバーに言った。

「おい、ええとこに帰って来た。出前に行ってくれ。そこのコンドルや」

「コンドルて、どこや？」

「麻雀《マージャン》屋やないか、果物屋の隣にあるやろ」

調理場から顔を出して、主人らしい男がガリバーの衿首《えりくび》をつかんだ。体つきがガリバーとそっくりだった。ガリバーは、ちぇっと舌打ちをしてから、ボストンバッ

グとバットケースを店の隅に置き、岡持《おかもち》を持ち上げた。

「端山さん、えらい久しぶりでんな」

忙《いそが》しそうに動き廻って、テーブルの上の汚れを拭いたり、割箸《わりばし》を補充したりしながら、ガリバーの母親は甲高《かんだか》い声を出した。

「あんなこと言うてる。きょうの昼、ワンタンと焼飯を食べに来たやろ」

端山は笑って答えた。

「あっ、そうか。お金、払《はろ》てもらわずやから、忘れとったわ」

「一万円札を出したら、おつりがない言うから、そんならあとでと引っこめたんやないか」

「あんた、この店で一万円札なんか出したら罰《ばち》が当たりまっせェ。そんなブルジョワは他へ行ってもらわな。うちは貧しい人のための善良亭やさかいな」

そう言って、ひらひらさせている一万円札を端山の指先から奪い取ると、ガリバーの母親は店の入口のレジスターの中にチーンと音たててしまい込んだ。

十人も入れば満員になる小さな中華料理屋だった。燎平は、壁に直接ペンキで書きつけられた品名と値段を見て驚いた。どれもみな、普通の店の半値以下で、焼飯などは大が八十円、小が五十円となっていた。燎平はこれまで二百円以下で焼飯を食べたことはなかった。

「これ、ほんまに、ほんまの値段ですか？」

燎平は小声で端山に訊いてみた。

「ほんまや。腹ペコの男が三人で千円も食いきられへんぞォ」

その代わりと端山は声を殺して言った。

「何の肉を使《つこ》うてあるか、保証の限りやないけどな……」

「……はあ」

「犬とか、鼠とか」

聞こえたのか、ガリバーの父親が調理場のカウンターから身をせり出して、

「鶏《とり》に、豚に、牛《ぎゅう》しか使てないでェ。あんたやな、そんなデマを飛ばしてるのは」

「そやけど、誰でもそう思うがな、この値段を見たら」

「やましい材料を使たことは、ただのいっぺんもないんや。創業以来十五年、善良亭のモットーは、おいしいものを安く食べてもらおうと、ひたすら薄利多売……」

「わかった、わかった、もう耳にタコが出来てる」

端山はそんなふうに言って、両手で耳を覆《おお》う格好をしてみせた。

「そやけど、これで儲《もう》かるんやろか？」

燎平は本気でそう言った。いったん調理場に姿を消した主人が、また顔を出して、
吐き捨てるように言った。

「ぜんぜん、儲かれへん」

するとテーブルを拭いていた母親が、突然腰を伸ばし、燎平たちに背を向けたまま、やけくそみたいに大声で笑って天井を見あげた。端山も、どうしようもないといったふうに、頬杖をついて苦笑している。

ガリバーが出前から戻って来たので、三人は調理場の奥の、狭い急な階段をあがって、真っ暗な座敷に入った。ガリバーは電気を点けると、階下の母親に叫んだ。

「電話を二階に切り換えてんか」

部屋は閉め切ってあるので、ひどく蒸《む》し暑い。端山が電話をかけているあいだ、燎平は噴き出てきた汗の玉を掌で何度もぬぐった。

一家は、二年前までこの二階で暮らしていたが、いまは淀川べりに家を借りて、そこから通って来るのだと、ガリバーは説明した。ときおり誰かが二階に泊まることはあるが、それは夏以外の時期で、雑居ビルに囲まれた袋小路だから、窓をあけても風なんかただのひとふきも入ってこない。バーや食べ物屋の換気扇から流れ出る熱風に包まれて、とにかく室《むろ》みたいになるのだと言った。

「八月の五日から一週間、空《あ》いてるそうや。部屋もひと部屋だけ、テニスコートも一面だけやけどな」

端山が電話口を手で押さえて言った。

「ひと部屋で充分です。……とりあえず予約しといて、あした正式に返事をさせてもらいます」

宿泊費やコートの使用料は、予想していたよりも少し高かったが、文句は言えなかった。ことしの夏の合宿は無理だろうと思っていたので、ひょんなことから格好の候補地がみつかって、燎平は金子慎一の喜ぶ顔を思った。

「暑うて、眩暈《めまい》がしそうや」

端山は電話を切ると、そう言って下へ降りて行こうとした。するとガリバーが、視線を電話機に落としたまま、

「俺、野球部を辞めることにしたんや」

と言った。

「辞める……？　何でや？」

階段の途中に腰をおろし、端山はマッチの軸《じく》をくわえて訊いた。

「来年、新田が入ってくることに決まったんや」

「新田て、高知の新田か？」

ガリバーはその場にあぐらをかき、角ばった顎のところをしきりに撫でながらしばらく黙っていたが、巨体を屈《かが》めて聞き取りにくい声でつづけた。

「あいつが入って来たら、サードを守るに決まってるがな。そうなると、俺は残り

の三年間、完全に二軍落ちや」

　燎平は野球のことはあまり知らなかったが、高校野球の有名選手が、ガリバーの大学の野球部に来ることが決定して、そのためにガリバーのポジションがなくなるのだというぐらいは察しがついた。

「取られんようにしたらええやないか」

「プロの誘いを蹴《け》って来るんやで。俺なんかとは野球が違うよ」

「それなら、応援団に入れよ。それとも、……フォークソングでもやるか？」

　と端山は笑った。電灯の影は、端山の顔のところどころを黒く隈《くま》取り、笑うと柔和になる面立ちが、それでひび割れたように崩れて見えた。

「応援団なんか、俺の趣味に合わんなァ。いまさらカンタのやつにシゴかれるのも、かなわんし」

　ガリバーの母親が、階段の昇り口から顔をのぞかせ、

「お客さんが途切れたから、あんたの子分に、はよ来るように言いや」

　と端山に言った。端山は店の電話を使って白樺の地下にいる大沢勘太を呼んだ。それがいつもの流れらしく、しばらくすると、白樺の地下にいた学生たちが善良亭にやって来て、好き放題に註文し始めた。

「きょうは一万円札をあずかってるさかいになァ。どんどん好きなだけ食べさせて

もらいや」

ガリバーの母親は何か拍子をとるように、箸で茶碗をたたきながら、金切り声であおりたてていた。

端山の仲間たちは、坐りきれずに立ったまま、ガリバーの父親が調理場のカウンターに並べる品物を争って食べた。大沢も神崎も高末も、冷房機の送風口に背を当てて立っていた。そして汗みどろになって、ラーメンをすすり、ギョーザを口に押し込み、八宝菜をかき込んでいた。それはさっきまで白樺の地下で、口をだらしなく動かして、眠そうに坐り込んでいた無気力なかさ高い生き物ではなかった。燎平も端山にすすめられて、汗と脂と精力の塊《かたまり》と化した若者たちに混じって、ラーメンやギョーザを食べた。

「燎平」

口の中をいっぱいにさせたまま、大沢勘太が言った。

「木田が、ちょっと話があるから、帰りがけにもういっぺん白樺に寄ってくれて言うとったぞ」

「へえ、何の用事かな」

「あいつ、人の財布《さいふ》をほじくり返す名人やから、気ィつけよォ」

神崎が口髭についたラーメンの汁を手の甲《こう》でぬぐいながら、ちらっと視線を投げかけた。そう言われて燎平は、予備校時代に、木田に二千円貸したまま返してもらっていないことを思い出した。

「この際、二千円は貴重や」

ひとりごとを言って、燎平は食べ終えたラーメンの器をカウンターのところに戻し、善良亭を出た。男が三人、路地の端《はし》に立って善良亭の店先を見ていたが、その中のひとりが傍らを通り過ぎようとした燎平の肩をつかんだ。

「こいつや」

そんな声が聞こえた途端、燎平は鼻のあたりに強い衝撃を感じて、うしろにふっ飛んだ。善良亭のガラス戸が烈しい音をたてた。金気臭い匂いが、頭の中心部から湧《わ》き立ってきて、それがドブの悪臭みたいなものに変わって行くにつれて、燎平の意識も消えた。

気がつくと、端山が血に染まったちり紙を指先につまんで、燎平をのぞき込んでいた。

「おばちゃん、大丈夫や、気がつきよった」

「そやけど、いちおう医者に見せといたほうがええがな」

ガリバーの母親が走り寄って来た。燎平は、自分が善良亭の長いテーブルの上に横たえられていることに気づいたものの、いかなることが起こったのか、まったくわからなかった。ただ、誰かまったく見も知らぬ男に殴られたのだということだけはわかった。鏡を見なくとも、自分の鼻が腫《は》れあがっていることもわかった。

「鼻血ですか？」

燎平は小声で、端山に訊いた。

「そうや、たいしたことあらへん。すぐに止まってしもた。倒れたひょうしに、頭を打ったんやろ。ちょっとした脳震盪《のうしんとう》や」

ガリバーが冷たいタオルを持って来て、燎平の鼻にあてがってくれた。随分長いあいだ、気を失っていたような気がして店の中の油で汚れた壁に掛けられた時計を見ると、善良亭を出てから、ほんの二、三分しかたっていない。

店の中には、端山とガリバーと、ガリバーの両親だけがいて、大沢や神崎や高末や、他の空手部や拳法部の連中の姿はなかった。燎平は、脳震盪を起こして気を失ったという経験は、生まれて初めてだったので、強い不安感を感じて、じっとしていた。倒れたあと、踏まれたり蹴られたりしたのではあるまいかと思えるほど、体のあちこちが痛かった。

「住所、言えるか？」

燎平が答えると、端山は次に電話番号を訊き、生年月日を言わせ、それから、好きな女の子の名前は？　と言った。

「佐野夏子……」

「よし、大丈夫や。頭の中はこわれてない」

「ほかの人は、どこへ行ったんですか？」

「お前を殴ったやつを、追いかけて行って、まだ帰ってけえへん。……まあ、みつかれへんやろ」

「僕、なんで殴られたんですか？」

「人まちがいや。俺の仲間やと思たんやろ」

「……はあ」

　ガリバーの父親が、こんどは蒸しタオルを持って来て、顎や首や手の甲について固まりかけている血を拭いてくれた。

「えげつないことしよる。こんなんでも、打ちどころが悪かったら、あっさりあの世行きやがな」

　シャツにも血がついていて、ガリバーの母親が何度も促すので、燎平はそっと身を起こして脱ごうとした。頭が重く、かすかな眩暈が、いつまでもつづいた。燎平は掌で額《ひたい》を押さえて、また寝そべった。端山が脱ぎかけたシャツをまくりあげて、乱暴に燎平の体から引きはがし、ガリバーの母親に渡した。

「血を落としとかんと、シミになるから」

そう言ってガリバーの母親は調理場に姿を消し、すぐに戻って来た。

「しもた、汚れてるとこだけすすいだらええのに、わたし、全部水につけてしもた」

眩暈がおさまってくると、こんどはなぐられた鼻と上唇のあたりが痛みだしてきた。前歯がぐらぐらしているようなので指でさわってみたが、それは気のせいで、ただ上唇の裏にも小さな切り傷のあるのに気づいた。その傷から出る血がなかなか止まらず、あおむいて横たわっていると、じわっと口の中に拡がっていくのである。

燎平は裸のまま起きあがり、

「僕、帰ります」

と言った。

「そんな格好で、帰られへんやろ。シャツが乾くまでゆっくり休んでいき」

ガリバーの母親の、人の好さそうな笑顔を見たとき、燎平は自分の腕から、時計が消えてしまっていることに気づいた。父から貰《もら》った、外国製の高価な時計である。

「時計があらへん、時計が、どこかへ行ってしもた」

燎平は、善良亭の店先の、さっき見知らぬ男になぐり倒された場所を捜し廻ってみたが、時計はみつからなかった。端山も、路地のあちこちを一緒に捜してくれたが、そのうち、何か思い当たることがあったらしく、

「時計、取り返してきたるから、ここで待っとけよ」

と言い残して、そのまま大通りのほうへ歩いて行った。なぐり倒されたぐらいで、腕時計が遠くへ飛んでいってしまうはずはなかったから、燎平を襲った連中が、奪い取っていったとしか考えられなかった。端山の表情から、何か時計にからむいざこざがあって、それに自分が偶然まき込まれたのに違いないと燎平は思った。取り返しに行くと言う以上、燎平を襲った相手の見当がついたのだろうが、そうなるとまたひと悶着《もんちゃく》起きそうな気配で、彼は早いとここの袋小路の薄汚れた中華料理屋から退散してしまいたい思いに駆られた。

けれども、血のついたシャツは、ガリバーの母親が水洗いしてくれて、なかなか乾きそうにないし、大事な腕時計をあきらめて、自分ひとりさっさと帰ってしまうことは出来ないのだった。考え込んでいると、鼻の痛みが強くなってきた。燎平は善良亭の壁に据《す》え付けられた小さな鏡に自分の顔を映し出してみた。

「あらァ……」

鼻は赤紫色になって腫れあがり、上唇も血がにじんで、めくれたように膨《ふく》れていた。

「えげつない顔やなァ」

燎平が鏡を見てつぶやいていると、ガリバーが覗《のぞ》き込んで、

「こんな顔の、黒人のジャズメンがおったなァ」

と笑った。

端山は、いつまで待っても帰ってこなかった。調理場のガスレンジの横に吊《つ》り下げられた燎平のシャツは生乾きになって、我慢すればなんとか着られないことはなかったが、肝腎の腕時計が戻ってこないので、善良亭はそろそろ閉店の時間だというのに、店を出ることが出来ないのである。

ガリバーの父親が、薄利多売と言ったとおり、善良亭は閉店まで滅多に客足の途切れることがなかった。ほんのいっとき、客のいないときがあっても、ひっきりなしに出前の註文があり、ガリバーと母親は、アルミの岡持を持って、出たり入ったりしている。それが十一時を過ぎるとぱったり途絶えて、夫婦は残り物の材料で自分たちの食事を作って、遅い晩御飯をとり始めた。

「椎名さんも、一緒に食べなはれ。ラーメンとギョーザだけでは足らんやろ」

ガリバーの父親がしきりに勧《すす》めてくれるので、燎平も、エビやら豚やら余り物の野菜やらをぶち込んで油で炒《いた》めたものをおかずにして、皿に盛ってくれた乾いた御飯を食べた。上唇の傷に塩気がしみて、燎平は何度も呻《うめ》き声をたてた。

「降って湧いたような災難やがな」

ガリバーの母親が、燎平の傷を見ながら、顔をしかめた。

「ここらには、理屈なんか通用せんやつが、うろうろしてるから気ィつけんとなァ。とにかく問答無用っちゅう連中やさかい」

そうつぶやいているガリバーの父親は、よく見ると眉の形や耳の格好が、息子とそっくりだった。色艶は良くなかったが、粘りのある頑丈そうなものを、その角ばった顔の中に隠している。

「椎名さんのお家《うち》は何をしてはりますねん？　何かお商売をしてはりますのんか」

「ええ、塗料の販売をしてます」

「ほう、塗料て、ペンキとか、絵の具とか、そんなようなやつでっか」

「絵の具は扱ってないんですけど、塗装屋さんとか自転車の鈑金《ばんきん》屋さんとか、ほかにも塗料とかシンナーとかを使う工場なんかに卸《おろ》してるんです」

「ほう、そら大会社の御曹司《おんぞうし》やがな」

ガリバーの父親の言葉を、燎平は笑いながら否定した。店には、店主である父と、得意先廻りをする営業担当の男がひとりと、小型トラックで商品を運ぶ若い運転手がひとりいるだけの、小さな個人商店である。

「そら、あんた、端山さんの家は、ちょっと桁《けた》が違うわいな。大企業の専務さんやよってに」

ガリバーの母親が、コップの水で口の中をゆすぎながら、途切れ途切れに言った。

「大企業て、どこの会社ですか？」

燎平が訊くと、ある有名な電器メーカーの名前が返ってきた。

「へえ、端山さん、そこの専務の息子ですか」

「そらもうごっつい家に住んではりまっせえ。玄関だけでも、わしらの家の倍ぐらいある。門から玄関へ行くあいだにも、普通の家が七、八軒建つやろいうくらいやがな」

善良亭の夫婦が帰り支度を始めても、端山は姿を見せなかった。燎平をなぐった男たちを追って行ったという大沢や神崎や高末たちもそのまま帰ってこなかった。燎平があきらめて帰ろうとすると、それまで黙り込んでいたガリバーが引き止めた。

「いっぺん白樺をのぞいてみよか。もしかしたら、あそこに集まってるかもわからん」

ふたりが路地を抜けて、大通りを白樺のほうに歩いていると、数冊のぶ厚い法律書をかかえた木田公治郎が、少しうつむきかげんに、道の端を歩いて来た。ふたりに気づかぬまますれ違い、そのまま人通りの少なくなった商店街を進んで行く。黄色いポロシャツが、暗く沈んで赤茶けて見えた。

「あいつが、現役で司法試験に受かるかどうか、賭《か》けてるんや」

とガリバーは立ち停まってつぶやいた。

「誰と？」

「あいつと」

ガリバーは顎で木田のうしろ姿を示した。

「絶対に通ってみせる。あいつ、えらい自信を持ってるから、俺は現役では無理やて言うたった」

「なんで、無理やて思う？」

「あいつ、どことなく、運の悪いようなところがあるやろ？　頭はええし、とことん勉強しよるけど、大事なとこにくると不運な星まわりみたいなもんが巡《めぐ》ってくるような気がするんや」

木田公治郎の、変人とも言える勉学への没頭の仕方と、頭の良さには、確かにガリバーの言う星まわりの悪さみたいなものが、絶えず道連れとしてつきまとっているように感じさせるのである。なぜかわからないが、そう思わせるものを、木田は持っているのだった。

しかし、結果はどうであれ、木田は大学生活の四年間を司法試験のために費《つい》やしつづけるだろうし、そのために、まい日まい日、白樺の地下の指定席に通いつづけるであろうことも疑いようがなかった。決して烈しくはない、どこか飄々《ひょうひょう》とした気迫を、その思いつめたように肩を落として歩いて行く木田の長身に感じるのである。

「別に現役で通る必要はないやろ。ようは、合格することが大事なんや。一年や二年遅れても、あいつは絶対に通りよるで」

燎平はある確信を持って、ガリバーにそう言った。そして、これから十年たち、二十年たったとき、木田と自分とのあいだには、もう埋めようもない大きな差が出来ているだろうとも思った。自分は何をしようという目的もなかったし、どうしてみせようという意欲もなかった。決して名選手になれるわけでもないのに、朝から晩まで、コートの中でラケットを振っている。そのうえ、得体の知れない他校の体育会の学生のいざこざにまき込まれて怪我をしたうえに、大事な時計までなくしてしまった。いったいどうなったというのだろう。

腫れあがった鼻を掌で隠して、燎平は夜ふけの繁華街に立ったまま、波間で浮き沈みしている黒い小さなブイを見るように、遠ざかっていく木田の頭に視線を注いでいた。

「やめた、やめた」

同じように、木田の姿を見送っていたガリバーが突然大声で言った。

「何を、やめた？」

「野球や。俺は野球をやめる。もう決めた。いま、はっきりと決心した。野球をやめる。これから、やりたいことをやる」

「やりたいことて、何や？」

「歌を作って、歌を歌う」

「歌……？」

ガリバーは大きな掌を眼前で拝むように重ね合わせ、いやにさばさばした顔つきで燎平を見おろした。

「おい、俺の歌を聞いてくれよ。うまいと言うやつもおるし、ヘタやと言うやつもおる。うまいともヘタとも言えんけど、味わいがある。歌いつづけたらモノになる。端山さんはそう言うてくれた」

「歌うて、ここで歌うんか？」

ガリバーは、腕をぐるぐる廻したり、首を音たてて左右に振ったりしながら、燎平の手首をつかんで早足で善良亭に戻って行った。

「お母ちゃん、戸閉まりは俺がしとくから、もう帰りや」

そう言って、燎平を二階に招くと、閉めきってあるガラス窓を全部あけた。湿《しめ》った熱気は部屋の中に溜《た》まったまま、しばらく動こうともしなかった。ガリバーは押し入れの中からギターとハーモニカを出した。太い針金を曲げたやつにハーモニカを挟み込み、それを首に吊るした。震えて途切れそうなハーモニカの響きで長い前奏を奏《かな》でると、しわがれた太いかすれ声で歌った。ギターの弦が、声の荒さを刈り取るように、柔らかい振幅で部屋の中を満たしていた。

摩天楼の陽炎《かげろう》にひたって
人間の駱駝《らくだ》が生きていく
汗も脂も使うべき時を失い
瘤《こぶ》は栖《すみか》を離れて心にもぐり込んだ
原色の雑踏《ざっとう》にまみれて
駱駝はあてどなく地下へ還《かえ》る
生きていたいだけの人間の駱駝

歌は三番まであった。ガリバーは、ある瞬間はすすり泣くように、ある瞬間は怒鳴るように、ある瞬間は何の抑揚も与えず、目を閉じたまま歌った。それは心に沁《し》みた。

「詞も、自分で書いたのか？」

「うん、そうや」

「曲も自分でつけたのか？」

「そうや、ぜんぶ自分で作った。人間の駱駝という題や」

生きていたいだけの人間の駱駝という一節が、燎平の心の中で繰り返されていた。端山を隊長とする駱駝たちが、いまも、このキタの盛り場のどこかで、眠たげな目をかろうじて開いたまま、あてどなくうろつき廻っているかと思った。大沢も高末も神崎も、白樺の地下に集まってくる若者たちは、みんなガリバーの歌のように、摩天楼の陽炎にひたって、あてどなく地下へ還ってくる駱駝たちだ。そして、自分も。

彼は、いまあちこちの大学で起こっている紛争を思った。革マルや、三派全学連や、その他さまざまなセクトの学生が、機動隊と衝突していた。端山たちも、自分や金子も、それらとはまったく無縁であった。けれども、全共闘のアジテーターと、白樺の地下でうごめく駱駝と、どこがどう違うというのかという思いがした。結局同じではないのか。彼がぼんやりそんなことを考えていると、

「どうや？　俺はなまじ野球なんかつづけるより、歌を作って歌いたいと思うんや。いつか、自分のレコードを出すぞォ」

とガリバーが言った。

「びっくりしたなァ。大学の野球部のサードを守ってる大男が、こんな沁みるような歌を作るかァ」

「沁みるか？　俺の歌、胸に沁みるか？」

「沁みる、沁みる、じんじん沁みる。俺の満開の鼻にも沁みてきた」

燎平はお世辞ではなく、本当にガリバーの歌はいいと思った。その巨体と、特異な風貌とが、かすれた、しわがれた太い声に、ある烈しさと哀愁《あいしゅう》を与えているのだった。

「それより、端山さんはどうしたんやろ。俺の時計は大丈夫やろか」

と燎平は訊いた。もう十二時を廻ってしまった。

「大丈夫、大丈夫。時計は絶対に戻ってくる。端山さんにまかしといたらええ。あいつら、みんなはぐれ者《もん》やけど、約束は守りよる。そんなことより、歌を賞《ほ》めてくれたから、酒を飲ましたる。うまい老酒《ラオチュウ》があるんや」

ガリバーが階下の調理場に降りて行ったとき、電話が鳴った。端山らしかった。時計はちゃんと取り還してやったが、もう遅いので、あしたの夜もう一度白樺にこいということだった。

燎平は、ガリバーの持って来た老酒の壜《びん》を振ってみた。油と埃《ほこり》が付着して中味が見えなくなった壜の中で、液体のはねる音がした。

「これは、燗《かん》をして飲むとうまいんやけど、まあきょうは我慢しよう」

ガリバーはプラスチックのコップに、老酒の薄茶色の液体を注ぎ、自分も同じようにして、水を飲むようにいっきに飲み下した。

ガリバーは酒に強かった。酔うほどに、歌には哀切なものが加わってきて、人間の駱駝を何度も何度も繰り返し歌った。燎平は、何度聴いても飽きなかった。

大都会の静寂に呑《の》まれて
人間の駱駝が生きていく
群れをなしているのにひとりぼっちで
言葉は心を離れて友を傷つける
原色の遺跡を背にして
駱駝はあてどなく街をめぐる
生きていたいだけの人間の駱駝

燎平もガリバーに和して歌った。だんだん老酒が廻ってきて、自分でも何を言葉にしているのかわからなくなり、歌詞の意味も、節廻しもさだかには判別出来なくなったが、燎平はガリバーと向かい合ってあぐらをかき、膝の上に置いた両手に力をこめて、目を閉じて歌いつづけた。暗闇《くらやみ》が、ぐるぐる廻り始めた。

盛り場の孤独にたたずみ
人間の駱駝が生きていく
夢も恋も嫉妬《しっと》と化すから
心の瘤に隠して歩いていく
原色の生命《いのち》を曳《ひ》きずり
駱駝はあてどなく地下へ還る
生きていたいだけの人間の駱駝

ふたりは夜中の三時過ぎまで歌って飲み、酔いつぶれて、そのまま善良亭の二階で夜を明かした。

蚊の攻勢と暑さで一度目を醒《さ》ました燎平の胸に雑踏を歩いている誰かのうしろ姿がよぎって消えた。それは木田公治郎の、何かを語りかけてくるうしろ姿であったような気もしたし、自分のうしろ姿であったようにも思えた。自分の姿だったろうかと、虚《うつ》ろな頭で思ったとき、一瞬冴《さ》え渡るような不安を感じたが、酔いが再び燎平を眠らせていった。

彼は汗まみれになったまま、朝の九時近くまで眠った。

燎平と金子慎一のふたりで発足したテニス部は、初めての夏期合宿に出発する日には、八人に増えていた。そのうちのふたりは女子学生だったが、合宿地である白馬の民宿が、一部屋しか空いていなかったため、ことしの夏に限って参加を断念してもらうことになった。それで、合宿に行く男子部員六人は、八月の四日の夜行で発《た》つことになり、大阪駅の東口で待ち合わせをした。

金子は約束の時間の三十分も前にあらわれた。ちょうど燎平も合宿のための買物が早く終わって、ひょっとしたら佐野夏子が見送りにこないものかと、ぶらぶら駅のコンコースを歩いていたので、一メートル九十センチの金子の陽灼《ひや》けた姿をみつけて、思わずにやっと笑ってしまった。金子も燎平を見て、同じように笑った。

「えらいお早いお出ましやないか」

燎平が言うと、金子は眼鏡を人差し指でずりあげて言った。

「俺、いっぺんも、その端山さんいう人に礼を言うてないなァ」

「なんや、いまごろ思い出したみたいに」

「うん、いまごろ思い出したんや」

キャプテンである金子が、ひとことの挨拶もしないまま、合宿に出かけてしまうのは、確かに片手落ちのように思われた。

「まだ時間があるから、いまから白樺へ行って、ひとこと礼を言うとくか？」

金子は時計を見て考え込んでいたが、

「よし、片道十分として、まあ三十分もあったら帰ってこれるなァ」

と言った。燎平と金子は阪急百貨店の前の信号を渡り、地下に降りずにそのまま東通り商店街への雑踏を歩いて行った。

「燎平にも、礼を言わんとあかんがな」

金子は燎平に覆いかぶさるようにして、嬉しそうにつぶやいた。

「そうや、この合宿地を捜すために、俺は、鼻が曲がるほどの、えらいめに逢《お》うたんやぞ」

「間抜けなやつや、そんなん、ダッキングで軽くかわされへんかったか？」

「俺はテニス部や。ボクシング部とは違う」

金子は首筋の汗をハンカチでぬぐい、

「白馬の麓《ふもと》は涼しいやろなァ。俺は、もうこの大阪の夏だけは大嫌いや」

それから、白馬が俺を呼んでいる、と大袈裟な身振りで叫んだ。白樺の階段を降りるとき、金子は燎平の肩をつかんで、

「怪し気な喫茶店やなァ」

と心細そうに声をあげた。地下には、いつもの席に木田がいて、赤鉛筆を持って本に目を落としていた。煙草の煙の充満した暗がりの奥に、神崎と高末が坐り、別

の席にK大の空手部員と野球部員、それに大沢と端山が腰を降ろしていた。映画音楽が低く流れ、大勢の若者がいるのに話し声はなく、野球部を辞めたガリバーが、何か自分の作った歌を小声で口ずさんでいる。

「端山さん、うちのキャプテンで金子と言います」

燎平が紹介すると、金子は少し緊張ぎみに短く挨拶をした。

「きょうの夜行に乗ります」

「大きいなァ。ガリバーとどっちが大きい？」

端山が驚いて金子を見あげている。ガリバーが立ちあがって並んでみせると、背は金子のほうが高かったが、横幅はガリバーが優《まさ》っていた。燎平が、列車の発車時刻を伝えると、端山は自分の吐き出した煙草の煙を目で追いながら、

「どうせヒマやから、あとで見送りに行ったる。応援団の見送りは、滅多にやってもらわれへんぞォ」

と言った。笑っているような、そのくせどこか機嫌の悪そうな言い方には、相変わらず得体の知れないものがあった。端山を団長とする応援団は何か小さな傷害事件を起こして、正式な活動を禁じられたままになっているのだった。それは燎平の巻き込まれたあの事件と何らかの関係があるみたいだった。

「気色悪い連中やなァ」

帰り道、金子は何度もそう言った。

「何や、あの静けさは」

「駱駝や」

「駱駝！」

「人間の駱駝や。あそこへ行くと、知らんまに、みんな駱駝になってしまう。摩天楼の陽炎にひたって、人間の駱駝が生きていく……」

「何やそれ？」

燎平は金子と並んで再び阪急百貨店前の交差点を渡りながら、ガリバーの作詞作曲した歌を歌った。――生きていたいだけの人間の駱駝。

「ええ歌やろ？」

「そうかなァ。俺にはさっぱりわからんなァ」

「いまは学生で、どんなにうそぶいていても、世の荒波の外にいてるようなもんやけど、あの脂ぎった連中かて、いつか正真正銘の、人間の駱駝になってしまいよる。そんな気がするんや」

と燎平は言ってみた。だが、その駱駝の中にも、木田のような男がいる。木田も、いまはやはり駱駝に違いないが、少なくとも彼だけは、生きていたいだけの駱駝ではない、と燎平は思った。

「お前は、やっぱりコッテ牛やな」

燎平が金子にそうつぶやいたとき、他の四人の新しい部員たちがやって来た。そしてそれと同時に、端山たち一団が、大沢を先頭に一列になって雑踏の中を進んで来た。

発車時刻が迫っていた。みんなはホームに入り、到着した列車を背にして立った。端山たちは燎平たちと向かい合って横一列に並んだ。異様な雰囲気が、端山や燎平の一群の中から湧いて来ていた。ホームを通り過ぎようとする人たちは、いったん端山たちの前を行こうとして、口髭を生やした神崎のこらっという声に驚き、慌てて立ち停まったり、わざわざ彼等のうしろに廻ったりした。

燎平は、えらいことになったと思いながら、応援団の壮行の儀式の、いっときも早く終わってくれることを願っていた。そしてそのとき、燎平は初めて、駱駝たちの烈しい声と仕草に接したのである。大沢も神崎も高末も、他の三人の応援団も、腕をうしろに組んで仁王立ちになり、腹の底から掛け声を出した。

「エッス」

それから一糸乱れぬ不思議な動き方で、体を開いて両手を交差させ、もう一度声をそろえてエッスと叫んだ。真ん中に進み出た端山が両の拳《こぶし》をにぎりしめ、腰のところに構えたまま、

「──大学庭球部を送る」

と叫んだ。みな顔を紅潮させ、目を光らせていた。端山だけが空手の型のような動きをして、奇妙な節のついた歌を歌った。

男意気だぜ戦いは、ヨイショ
荒神《こうじん》おろしの旗風に、ヨイショ
敵を受け止めワンパンチ、ヨイショ
返す拳でワンパンチ、ヨイショ

ヨイショと声をそろえて叫ぶときの大沢の顔には、息を呑むような陶酔の翳《かげ》があった。金子も他の部員も整列して並んだまま、うなだれて見知らぬ他校の応援団の見送りを受けていた。歌っている端山も、うしろに並んでいる大沢や神崎や高末たちも、そんな燎平たちの困惑した様子を、どこかで楽しんでいるようなところがあった。

燎平だけが、顔をあげて、端山の珍妙な、だが鍛練によってしか身につかなかったであろうある美しさを持つ踊りを見ていた。乗客もホームに佇《たたず》む人たちも、何事かと、端山たちを遠巻きに見ていた。

男度胸の旅立ちに、ヨイショ
あの娘《こ》すがって泣きじゃくる、ヨイショ
敵を倒してワンパンチ、ヨイショ
そこでとどめのワンパンチ、ヨイショ

多くの人の視線を受けて、燎平の頬は火照ってきた。その火照りが、目前の端山の踊りをぼうっとかすませていた。端山は、いつしか陽炎の中の一頭の駱駝に変わった。何を考え、何を目指しているのかわからない、群れをなしているのにひとりぼっちの、原色のいのちを曳きずる、あてどない駱駝のひたむきな踊りに見えてきたのである。

4

木犀《もくせい》の匂いの中にいた。燎平は額《ひたい》の汗を指先でぬぐい取りながら、ときおり香りを嗅《か》ぐために息を吸った。花の匂いは、とぎれとぎれに足元からゆらめきたってくるような気がした。

広いグラウンドを取り囲む野生の樹木は、どれもみな花を咲かせないものばかりだったから、木犀は、燎平のいる場所からうんと離れた地点で満開になっているらしかったが、それでも嗅ぐ者を一瞬けだるくさせる芳香を忽然《こつぜん》とテニスコートの中に湧《わ》きたたせてくるのである。

随分昔、といっても中学二年から三年の一時期、歯を磨いている最中の寝起きの体のどこかで、軽くえぐられるような歓《よろこ》びを感じたことがしばしばあったのだが、それとよく似た感触が、さっきからずっと燎平の全身にたゆとうているのだった。

夏の白馬山麓での合宿からすでに二ヵ月以上がたっていたが、その間燎平は他の物にはいっさい心を動かさず、ただテニスばかりやりつづけてきた。午後一時に練習を開始すると、陽《ひ》が落ちかける寸前までボールを打ち合い、それから大学のまわりの舗装されていないいなか道をランニングする。起伏の烈しい往復十キロの道を走り終えると、日は完全に暮れてしまっている。それから暗闇《くらやみ》の中で荒れたコートの整備をして、やっと練習は終わるのである。

そうやって、いつのまにか夏が過ぎ、涼やかな風の日々が始まった。

「燎平、腰が高いぞ」

金子が大声で怒鳴った。燎平は慌《あわ》てて腰を落とし、大股《おおまた》にならないよう注意しながら走って行き、右サイドに打ち込まれてきたボールを相手のバックに返した。燎平のボールはラインを十センチほどオーバーしていた。

「腰が高いんや。腰が高いから、ボールが浮いてしまうんや」

もう何週間も、燎平は金子から同じ言葉を何度もあびせられていたが、力のこもった、球速のあるボールを打つと、十球のうち三球はわずかではあったがコートの外に出てしまうのである。ボールの下を見て打て、と金子に注意されるのだが、打つ瞬間になると、顎《あご》があがって、ボールを見おろす格好になってしまう。

「燎平は体重が軽いから、もっと違うテニスを考えたほうがええなァ」

「違うテニスて、どんなんや?」

金子はネットのポールに凭《もた》れかかって、陽に灼《や》けた顔をしかめながら、

「もっと変則的なテニスをするほうがええのと違うかなァと思うんや」

と言った。

「変則的？」

「うん、もっといやらしいテニスや。上手ということと、強いということとは、別のものやからなァ」

金子の言う意味はわかるのだが、それはいったいどんなテニスなのか、燎平には見当がつかなかった。

「燎平は、何でも意外に上手にこなすんやけど、弱いんや」

自分のいちばん痛いところを突かれて、燎平はいやな気がした。

「ちぇっ、えらそうなこと言いやがって。強そうに見えて弱いのは、お前のほうやないか」

金子は黒ぶちの眼鏡をはずし、シャツの裾《すそ》でレンズの汚れを拭《ふ》いた。それから細い目を燎平に注《そそ》ぎ、

「ほれ、すぐに私憤を表に出すやろ。そういう小心なところが、燎平のテニスにそのまま出てくるんや」

と言った。

「やかましい。俺は一流選手になろうなんて考えてないぞォ。テニスは趣味や。趣味。それが気にいらんのなら、いますぐテニス部を辞《や》めさせてもらう」

金子は巨体を近づけて来、大きな掌《て》で燎平の短く切った頭髪を撫《な》でた。もういつものように穏《おだ》やかな笑顔に戻っている。

「わかった、わかった。そんなこと言わんと、テニス部の名誉会員として、いつまでもおって下さい。燎平がおれへんようになったら、ほんまに寂しなるがな。こういう短絡的な、わがままな、乳離れのしてない……」

そのとき、テニスウェアに着換えた荒井ゆかりが見知らぬ男の学生をともなってコートに入って来た。青白い顔をした華奢《きゃしゃ》な体つきの学生で、どこか人を小馬鹿にしているような表情を浮かべていた。

「この人、テニス部に入りたいって。私の高校時代の同級生」

「まだ迷ってるんや。テニス部にしようか、他にもっとおもしろいクラブはないか」

学生はそう言ったが、ゆかりは、

「そやけど、この人、すごく強いのよ。高校ではずっとテニス部のキャプテンをしてたから」

と幾分むきになって言った。

「へえ、初めて見る顔やなァ。学部は何？」

いつもなら、新しく入部を希望する学生がやってくると、金子は初心者であろうと経験者であろうと、あまりこだわらずに歓迎するのだが、珍しく気乗りのしない顔で訊《き》いた。

「経済学部で、貝谷さんていうんです。貝谷朝海さん」

ゆかりはなぜか顔を赤らめて、貝谷のかわりに金子の質問に答えていた。きつい天然パーマのかかった髪を無造作に伸ばしていたが、貝谷の頭髪はところどころで固まりあって、複雑な形をなしていた。

「アサミて、どんな字ィや？」

「朝の海って書くの」

「夜の海、てな感じやな。どこかのゲイ・バーのバーテンみたいで」

金子は巨体をぐっとのけぞらせるようにして、小柄な貝谷を見おろし、挑《いど》みかかるみたいな口調で言った。

「他の、おもしろそうなクラブに入ったほうがええと思うよ」

するとと貝谷も薄笑いを浮かべたまま、

「ド素人ばっかりのテニス部に入っても、つまらんことはわかってるんやけど、あんまりヘタクソで可哀そうになってきてなァ」

と言い返してきた。それで話は終わりだった。当惑した顔つきで、あいだに入って立ちつくしているゆかりの肩をたたくと、貝谷は両手をポケットに突っ込んでテニスコートを出て行った。

「いややなあ、連れて来て悪かったみたい。なんであんな言い方をするの？」

黙っている金子に、ゆかりは何度も詰め寄った。

「私、テニス部のためを思って貝谷さんを誘《さそ》ったのよ。せっかく入部しようかって気持になってるのに、ひどいわよ。ゲイ・バーのバーテンみたいや、他のクラブに入ったらどうや……なんて、金子さんらしくないわよ」

「そうや、金子らしくなかった。ぜんぜん、らしくなかったと俺も思う」

燎平はにやにや笑いながらそう言った。金子にもそんなところがあったのかという思いだった。

「向こうから、わけのわからんバイ菌みたいなやつが来よった、そんな気がして気持が悪うなったんや」

燎平の耳元で小声でつぶやくと、金子はベンチに置いてあった自分のラケットを持ち、

「さあ、練習練習練習」

と叫んだ。それから、まだつんとした顔で睨《にら》みつけているゆかりに向かって、金

子はきまり悪そうにつけ加えた。

「俺は、そのう、あんなキューピーの頭みたいな天然パーマが嫌いなんや。なんや、あの頭は。ぐしゃぐしゃにするならする、ちゃんと揃《そろ》えるなら揃える、どっちかに決めてほしい。入部しても、いつぷいと辞めてしまうかも知れんようなやつはお断わりや」

「それと頭の毛と、どんな関係があるのん？」

それまでひとりでサーブの練習をしていた山根がネットのところに歩み寄って来て、

「あいつ、先月までヨット部におったんやけど、サーキット・トレーニングばっかりで、いつまでたってもヨットに乗れん言うて、辞めてしまいよったんや」

と言った。金子は、それ見ろと言わんばかりにゆかりを睨み返して、

「あれはなァ、そのての人間なんや、精神の奥にふざけがある。何をするにも遊び半分や」

「でも、もうひとり試合に出られる選手が欲しいって言うてたのは金子さんでしょう？　このままでいったら、リーグ戦どころか対外試合もでけへん、おい、なんとかテニスの経験者をみつけだしてこい、そうハッパをかけてたくせに」

テニスの団体戦は、男子の場合、ダブルスが三試合、シングルスが六試合、計九

試合で競い合うことになっていたから、どうしても最低六人の選手が必要であった。ところが、燎平たちのクラブにはふたりの女子部員を除くと、ちょうど六人の男子部員しかいなかった。しかも、そのうちの三人はテニスを始めてまだ三ヵ月しかたっていないのである。

金子はコートに散らばっているボールを拾い集め、燎平たちに円陣を組むように促し、空を見あげて、

「ああ、秋やなァ」

と言った。ゆかりが白いカーディガンを脱いで雀斑《そばかす》だらけの肩を見せた。雀斑を陽に灼くとシミになるのだといつもこぼしているくせに、ゆかりはその艶《つや》やかな肩から腕へと散っている砂の粒みたいな模様が自慢なのであった。胸も尖《とが》って大きく、尻や大腿《だいたい》部も形良く張りつめていたが、顎が細く唇も薄かった。裕福な家庭で育ったにしては言葉つきや表情のどこかに品の悪さがあり、そのために一部の男子学生からは特殊な人気があった。

準備体操を始めようとしたとき、ゆかりが少し遠慮ぎみにきりだした。一週間ほど休ませてくれということだった。

「一週間も、何でや？」

燎平が訊いても、ゆかりは答えなかった。金子は顔をしかめ、

「そういうあてこすりはいかんなァ」

と憮然《ぶぜん》とした口調で言った。ゆかりはその理由を明かそうとしなかったが、しかし、さっきの貝谷の一件で気を悪くして、そのために拗《す》ねているのではなさそうだった。

「理由がはっきりせんのに認めるわけにはいかん」

金子が断固とした態度に出ると、ゆかりは誰にも内緒にしといてねと念を押してから、

「手術をするの」

とつぶやいた。

「手術！　手術て、どこが悪いのん？」

ゆかりは燎平の問いに、両方の人差し指で自分の瞼《まぶた》を押さえて答えた。

「二重《ふたえ》瞼にするのよ」

「えっ、整形手術か」

「誰にも言うたらあかんよ。絶対に黙っててね」

「ゆかりは、その一重瞼が魅力やないか。やめとけ、やめとけ、そんな恐ろしいこと」

山根が神経質そうに目をしばたたかせて、ゆかりを制したが、もう手術費も払っ

たし、手術の日取りも決まっているのだと言って、金子を見あげた。金子はじっとゆかりの目元を見つめていたが、

「俺の妹も、二重瞼になりますように言うて、毎晩、目の上にセロテープを張って寝とる」

そう吐き捨てるようにつぶやいて、両腕をぐるぐる廻しながらコートの真ん中に歩いて行き、大声で準備体操のための号令をかけ始めた。そのとき、また燎平は木犀の匂いを嗅いだ。

燎平は夏子のことを思った。もう随分長いこと逢《あ》っていなかった。二、三日たてつづけに、テニスコートまでやって来て、燎平たちが練習しているのを眺めているときがあるかと思うと、二週間も三週間も顔を見せないときもあった。

燎平は、その顔を見せない幾日ものあいだ、夏子が、どこでどんなことをして過ごしているのか考えないようにしていた。そんなことはどうでもよかった。いまもなお、夏子は遠くにあったが、また同じように、夏子は燎平の中にいたのだった。初めて、夏子と金子と三人で、梅田新道のビアホールに行った際、酔った金子が洩《も》らした言葉は、それからもずっと燎平の中で生きつづけていた。金子は、

「女は、どいつもこいつも、みんな賢こそうでアホなんやなァ。それぞれがひとつずつ、どうしようもないけったいなアホな部分を持ってる」

と言ったのだったが、まだ燎平にとっては、夏子の中の、どうしようもないけったいなアホな部分とは、その美しさにあり、その世間知らずなところにあり、その清冽《せいれつ》さにあり、その奔放《ほんぽう》さにあるとしか思えないのだった。

木犀の香りを鼻孔《びこう》に含み入れるたびに、燎平の心には夏子の微笑やら姿態やらが浮かんできた。すると必ずいつの日か、夏子が自分の中に入ってくるような気がして幸福になるのである。燎平の、夏子に対する思いは、いっそう烈しさを増したぶんだけ、むしろひそやかなものに変化していたのであった。

準備体操が済んだころ、昼からの講義を受けていた残りの部員が集まって来た。

三宅も鶴永も石原も、大学に入って初めてテニスを始めた連中だったが、星野祐子は小学校のころからちゃんとしたコーチについてラケットを握ってきたベテラン選手だった。試合が長びくと右足のふくらはぎに痙攣《けいれん》を起こす癖があり、そのために選手生活を高校時代で打ちきったのだが、金子の執拗《しつよう》な勧誘にあって、一年間だけという条件つきで入部してきたのである。

目立たない温和《おとな》しい顔立ちだったが、ちょっとした言葉つきや仕草に、やさしい気稟《きひん》があらわれていて、テニス部の仲間からは大切に扱われていた。

「ゆかりはコートの外で素振り。燎平と山根が試合をするから、あとの者はボール拾い。祐子は審判をやってくれ」

金子の指示で、それぞれが散った。秋の新人戦が間近に迫っていて、燎平たちは初めての公式戦に臨《のぞ》むのだった。

新人戦で五回戦まで勝ち進むと、関西学生選手権の出場権が与えられ、またそこで四回勝ち残れば、毎年夏に行なわれる全日本学生選手権に出ることが出来る。東日本から六十人、西日本から六十人しか出場できない檜舞台《ひのきぶたい》だったから、大学のテニス部に籍を置く選手たちは、誰もが、その通称インカレと呼ばれる大会に出るのが夢なのであった。しかし、新人戦から始めて合計九試合を勝ち進んで行くのは、至難なことであった。

燎平は、シングルスの試合をするのが好きだった。試合のときだけ使わせてくれる新品のボールを鼻先に当ててその軽い揮発性の匂いを嗅ぐと、闘志が湧いた。ひとつ一つのポイントを重ねて、マッチポイントに近づいて行く作業は、燎平のあてどない日々における唯一の昂揚《こうよう》だった。同じように、少しずつ追い込まれて相手のマッチポイントが近づいて来ても、それはそれで一種の挫折感《ざせつかん》を伴った、不思議な快さを合わせ持つ緊張にひたることが出来た。

どんな相手であっても、勝つということは難しいと、燎平は半年間の烈しい練習で知った。知ったのはただそれだけであったが、ただそれだけのことが、燎平を変えた。それまでの燎平にはなかった、積み重ねていく執念のようなものが、彼の物事に対処する姿勢の中に生じたのである。慌《あわ》てても、焦《あせ》っても、マッチポイントは近づいてこなかった。取ったり取られたりしながら、たんたんと積み重ねるしかないのだった。営々と、近づいて行くしかないのだった。燎平は、あらゆるものが、同じ原理であることを知った。

試合の途中で、燎平は、さっきの貝谷という学生がグラウンドの端っこに腰をおろして、じっとこちらを眺めているのに気づいた。貝谷がどんなテニスをするのか見当もつかなかったが、燎平は、ゆかりが言ったように、きっと自分たちよりうんと強いのだろうと思った。なぜかそんな気がした。手強《てごわ》そうなものを、その、人を小馬鹿にしたような言動に感じたし、表情は見えなかったが、体育会系の部室の壁に凭れて、投げやりな感じで、こちらを見やっている姿からも予感できるのだった。

燎平は、ときおり試合の最中に、貝谷のほうに視線をやった。貝谷に観られているということで、気が散って仕方なかった。そのためにいつもよりミスが多かった。山根とはこれまで二十戦以上もしていたが、一度も負けたことはなかった。だが、体のあちこちに余分な力が入ってきて、強く打ち込むとアウトになり、やわらかく打ち返すとネットに掛かった。負けるかも知れないと思ったが、試合になると山根のほうがはるかに小心だった。肝腎なところで山根がミスをつづけてくれて燎平はやっと勝つことが出来た。

意外に長びいたために、秋の陽はオレンジ色を帯びて傾きかかっていた。

練習を終えて、国鉄の大阪駅まで帰ってきた燎平は、ホームの階段の降り口でまた貝谷と出くわした。貝谷は親しそうに横に並ぶと、

「きれいなフォームやな。感心したで」

と言った。皮肉でなく本心から言っているようなので、燎平は目だけ貝谷に向けて、

「腰が高いやろ？」

と訊いた。

貝谷はカーディガンのボタンを全部外して、だらしなく羽織っていた。胸ポケットから煙草を一本抜き出し、唇の端にくわえて火をつける動作も、いかにも面倒臭そうで、燎平はどうにも肌の合わないものを感じた。

うしろを振り返ると、ラッシュ時の人混みの中で、頭ひとつぶん抜き出ている金子の長身と、その横に並んで、練習のあとのけだるさを浮かべて歩いている祐子やゆかりや鶴永たちの顔が見えた。

練習が済んで大阪駅に出てくると、いつも仲間たちは地下街の奥の〈露人《ろじん》〉という喫茶店に行く。そこで一時間ほど時間をつぶして、それぞれ家に帰って行くのである。金子と燎平に金がないときは、いつも祐子が黙って払ってくれる。祐子が奢《おご》

ってくれたぶんは、これまでにもう相当な額になっているはずで、最初のうちは金子も燎平も「いっつも申し訳ない」とか「いつか、まとめてお返しします」とか言っていたのだが、そのうちそうされることが当たりまえみたいになってきて、「きょうも、よろしく頼む」といった調子で、伝票を祐子の前に突きつけるのである。

貝谷は燎平と一緒に駅のコンコースから地下に降りる道を歩きながら、

「腰が高いとか低いとかの問題と違うんや。そんなことはどうでもええ。もっとボールを力まかせにねじ込んでいかなあかんよ」

と言った。

「ねじ込む？」

「そうや。きれいごとのテニスをやってても、試合には勝たれへん。いまのままのテニスでインカレに出ようと思ったら、まあ十年はかかるやろな」

「何でや？」

「一流になるには、変則的なテニスでは限界があるけど、オーソドックスな素直なテニスでは逆に三流の壁がなかなか越えられへん。見てくれはええけど、そんなテニスは怖いことも何ともない。筋金の入った、年季の入ったテニスにかかったら、勝負になれへんのや」

燎平が黙っていると、貝谷は火のついた煙草をくわえたまま、細長い目を注いで言った。

「なんぼしゃかりきになっても、もういまから一流になんかなれへんでェ。テニスいうのは、最低十年はかかるスポーツや。そやけど俺の言うとおりにしたら、二流の上になれるでェ」

「二流の上て、どんなテニスやねん？」

「一見、無茶苦茶でヘタクソに見えるけど、試合になったら、なかなか負けよれへん、そんなテニスのことやなァ」

ブティックや外国製の皮革品専門店などが並んでいる地下の通りの突き当たりに〈露人〉はあった。貝谷は、うしろから睨みつけている金子をまったく無視して、平然とした態度でついてくると、〈露人〉のカウンターの椅子《いす》に坐り、置いてあるソヴィエト製の湯沸かし器を見て、

「へえ、露人て、ロシア人のことか」

と言った。そして、掌できついウェーブのかかった頭髪を撫でつけた。金子はコーラを注文してから、燎平に小声で言った。

「おい燎平、あいつの魂胆がわかったぞォ」

「魂胆て何や？」

「あいつは、祐子に気があるんや」

隣のテーブルに坐っている祐子に聞かれないように、金子はいっそう声を落としてささやいた。

「なんで、そんなことがわかる？」

すると三宅卓也が身を乗り出して、大きな丸い目をむいた。

「フランス語の授業のとき、俺の横に坐りよって、遠廻しに祐子のことを聞きたがりよる。そのうち祐子の電話番号を教えてくれとか、彼氏はおるのかとか、ねちねちとしつこいんや」

「そんなこと三宅に聞かんでも、ゆかりから教えてもろたらええやないか」

ゆかりという言葉だけが本人の耳に入ったらしく、ゆかりは自分の席から立ちあがって燎平たちのいるところまでやってくると、甲高《かんだか》い声で、

「あっ、あのこと、みんなに喋《しゃべ》ったでしょう。内緒にしててねってあんなに頼んだのに」

と金子の大きな背を拳《こぶし》で叩《たた》きつけてきた。

おそらくきょうが最後になるであろうゆかりの一重瞼を見ながら、燎平は、整形手術が終わって二重の彫り深い目元になれば、ゆかりはひょっとしたらその面立ちから若さを失って、いまよりもっと崩れた自堕落な雰囲気をそなえてしまうのではなかろうかと思った。そして、そんなゆかりよりもはるかに目立たない祐子の、決

して美人とは言えない容貌の中に、年齢を経《へ》るごとに厚みを増していく優しさと愛らしさを発見して、突然むらむらと貝谷に対する敵意が湧いてくるのを感じた。

「おい、あのことて何やねん？」

と三宅が金子に問いただしていた。

「アホやなァ、ゆかりは。自分からばらしてしもたようなもんやがな」

と金子が言った。燎平は、ゆかりに席を譲って、星野祐子の隣に腰かけると、ノートの裏に記入してある数字を見せた。

「えーと、これがこれまでに祐子に借りた金の合計や。だいたい一万三千円ぐらいになるみたいやけど……」

「うわあ、そんなに立て替えたの？　お小遣いを使い過ぎるって、月末になったら叱られてるのよ。私が使ってるのとは違うのよね、燎平とか、金子くんとかを養ってるみたいなもんやから」

しかし、祐子の口ぶりは、たいして気にしているようでもなかったし、早く返してほしそうでもなかった。燎平は金子を見やって、

「あいつは、人の三倍は食うからなァ……」

「燎平も、二倍は食べるわよ」

燎平はあることを思いついて、真剣な表情で祐子を見つめた。祐子もつられて、

それまで浮かべていた微笑を消し、じっと燎平を見つめ返してきた。

「俺、大学を卒業したら、たぶん親父の商売を手伝うことになると思うんや。そしたらその初めての月給で、祐子に借りた金を返そうと思うんやけど、その案はどんなもんやろ」

祐子は至極あっさりと答えた。

「うん、いいわよ。四年間、待ってあげる」

「えっ、ほんと？」

笑顔で頷《うなず》きながら、祐子はミルクティーを口に含んだ。

祐子の父は、産婦人科の医師で、阿倍野区に大きな病院を経営していた。兄たちもみな医大を出て、それぞれ独立したり、大学病院に勤めたりしていた。兄妹の中で、女は祐子だけでしかも末っ子だったから、四人の兄たちにこっそりと小遣いをもらったりできるのである。

「いやあ、助かるなァ。じつはこれでも内心非常に気にしてたんや。とにかく俺の家はここ何年も左前で、しょっちゅう手形が落とせん、資金繰りがつかん言うて、右往左往してるからなァ」

ときおり体を捻《ひね》って、カウンターのところから祐子を盗み見ている貝谷の青白い頬が、オリーブ色を基調にした暗い店の中でいやに目立って浮きあがっていた。

陶製の豪華なサモワールの中で、さっきから湯が沸騰しているらしく、湯気が二《ふた》条《すじ》ゆるやかに天井に向かってのぼっていく。そのロシア文学によく登場する湯沸かし器を手に入れるために、わざわざソヴィエトまで旅をしたという女主人が、貝谷にせがまれて、サモワールのコンセントを電源に差し込んでやったのである。

「いかにも、厳寒のロシアっちゅう雰囲気やなァ」

と言う貝谷のおとなぶった言葉が聞こえたので、燎平はそっと祐子に耳打ちした。

「あいつは、もしかしたら祐子に気があるのと違うかという噂《うわさ》が、さっきからみんなのあいだに出てるんやけど、祐子はああいうタイプの男、どう思う?」

祐子は驚いたように目を瞠《みひら》き、こちらに背を向けて煙草をふかしている貝谷のほうを見た。小さな銀色の魚の形をしたペンダントを指先でつまみ、そっと口元に持っていって、赤くなりながらそれを前歯で嚙《か》んだ。

燎平はそんな祐子の動作を見て、断じて貝谷などに祐子を渡してはならぬと思った。自分には、借金の返済を、卒業まで待ってもらっているという恩義がある。祐子を守らねばならぬ。燎平がひとりで心の中でそう息まいて貝谷のうしろ姿を睨みつけたとき、振り返ってこちらに視線を投げてきた貝谷と目が合った。

燎平は慌てて祐子のほうに視線をそらせたが、祐子も同じようにどぎまぎした様子で見つめてきたため、ふたりはまるで肩を寄せてささやいている恋人同士みたいに、しばらくぽかんと互いの目を覗《のぞ》き合う格好になった。

「よお、坐ってもええ？」

貝谷は冷たい目を光らせて、水の入ったコップを片手に歩いてくると、燎平と祐子の前に腰をおろした。

「あしたは日曜やから、練習は休みやろ？」

と貝谷は言った。燎平のうさん臭そうな目つきなど、まったく意に介していないふうに、貝谷は大きな声でウェイトレスを呼んだ。

「あっ、おねえさん、灰皿持って来てくれる？」

それからまた煙草に火をつけて、けむたそうに目をしかめ、

「あした、靫《うつぼ》公園のコートまで来いよ」

と燎平に言った。

「靫？」

「さっきの話のつづきやけど、面白いテニスを観せたるでェ」

「面白いテニスて、何や？」

「来たらわかるがな。テニスコートの横に大きな藤棚があるから、その下で一時に待ち合わせをしょうやないか」

燎平は気がすすまなかった。一週間の練習疲れが、土曜日にはピークになってき

て、せめて日曜日には何もせず、家でごろごろしていたいのである。燎平がどう断わろうかと考えているうちに、話は決まったというふうに、貝谷は祐子に喋りかけてきた。

「俺、星野さんの試合を、高校のときに観たことがあるよ」

「へえ、どこでですか？」

「甲子園のテニスクラブで。二年生のときかな。ダブルスの試合やったと思うけど、何とか明美っていう名家の人と組んだでしょう？」

「ああ、津川明美さん？」

「うん、そうそう。あの人、いまどうしてるのかな」

「彼女は東京の大学に行ったの」

「俺、星野さんが、おんなじ大学に来てるなんて夢にも思えへんかったなァ。こないだ、ゆかりから聞いて、びっくりしたよ」

こいつ、始めやがったな、と燎平は思った。見ると、金子も腕組みをして、うしろの席から憮然たる面持《おももち》ちで、こちらの様子をうかがっている。燎平がそっと目で合図を送ると、金子は大きく頷いて立ちあがった。滅多に見せたことのないようなきつい目をして貝谷の横に立ちはだかると、

「あのう、お話し中、申し訳ないけど、君はテニス部に何か用事でもあるの？」

と訊いた。事と次第によっては、ただでは済まさぬぞといった気魄《きはく》があった。貝谷は頰づえをついたまま、ゆっくり金子を見あげ、ふてくされたような微笑を浮かべた。

「べつに、あんたに用事があるわけやないよ」

「ほう、すると誰に用事があるのかな」

「そんなこと、いちいちあんたに説明する必要はないやろ」

ふたりの、初めから敵意をむき出しにしたやりとりを見ていたゆかりが、うんざりした顔つきでやって来て、

「どうしたの、ふたりとも。顔を合わしたら絡《から》み合うてる。昔からの恋敵《こいがたき》みたい」

とあきれた口調で制した。

「だいいち金子くんは横暴やわ。せっかくテニス部に入ろうかと思てる貝谷くんを、頭っからはねつけるねんもん。理由は何よ。仲介者の私としては、理由も聞かせてほしいわよ」

「理由はなァ……、つまり、そのう」

しかし、正当な理由などまったくないのだった。金子はきまり悪そうに燎平を見て、助け舟を出してもらいたそうに、何度も眼鏡をずり上げている。

「つまり金子は、この貝谷くんが仮にテニス部に入っても、すぐ辞めてしまうので

はないかと心配してるわけや」

　燎平の言葉が終わらないうちに、貝谷は席から身を起こし、

「何がテニス部や。大学にまで来て、もうテニスみたいなしんどいことはこりごりや。あんたらだけで、仲良く楽しみはったらええがな」

　そんな言葉を残して、さっさと露人を出て行った。

「いちいち癇《かん》にさわるやつやな」

　金子はそうつぶやいて自分の席に戻《もど》り、燎平を手招きして呼んだ。

「おい、俺は横暴やったかな？」

「自分ではどう思う？」

「絶対に横暴やったと思う」

　ふたりは喫茶店の天井を見あげて大声で笑った。そこから見ると、祐子の顔はひどく上気しているみたいに映った。祐子はミルクティーのカップに口をつけ、もうとっくに冷めてしまったベージュ色の液体をすすりながら、ときどき上目づかいに店内を見廻している。

「さっき祐子に、貝谷のやつ、気があるみたいやて教えてやったら、どうしたと思う？」

「どうしよった？」

「真っ赤になって、自分のペンダントに嚙みつきよった。ああ、その素振りたるや、じつに可憐で清楚《せいそ》。どんなことがあっても、我々がしっかりと守ってやらにゃあいかんと強く決意したなあ」

「お前はアホか」

金子は急に真顔になり、声をひそめて言った。

「そんなこと祐子に教えたらあかんやないか」

「何でや？」

「祐子も女やぞォ。そんなことを知ったら、最初は好きでも嫌いでもない男やのに、だんだん気にかかってくるやろ。ああ、あの人は、私のことを好きなのね。これは祐子にとっても心ときめく思いやないか」

「心ときめくやろか？」

「あたりまえや。お前なァ、人生における最も心ときめくことは何やと思う？」

「何や？」

「恋や恋。恋にきまってるがな」

「しかしそういうセリフを、まさかお前の口から聞こうとは思わなんだなァ」

陽に灼けて、マホガニーのテーブルのような色をしている金子の手の甲《こう》を見つめつつ、燎平は言った。金子は冗談でなく、本気で言っているらしく、その大きな黒

い手で燎平の肩をつかむと、

「もし祐子が貝谷に押し切られて、間違いを起こしたらどうする？」

間違いという言葉がおかしくて、燎平はこらえきれずに笑い声をたてた。そうやって、また祐子の表情をそっとうかがってみた。ごく普通の、格別美人でもなければ不器量でもない、どこにでもいる若い娘であったが、金子の言った恋という心ときめくうねりの中へ、あるいは最もひたむきに、しかも静かに狂おしく突き進んで行くかも知れないと思わせるものを、祐子はその顔立ちのどこかに持っているような気がした。

夏子に対するものとはまったく異質な、しかしそれもまた厳密には恋と呼ぶべきであるかも知れない不穏《ふおん》な感情を、燎平はふいに祐子のひっそりとした横顔に抱いてしまったのだった。

その夜、風呂からあがって、二階の自分の部屋でレコードを聴いていた燎平に、夏子から電話がかかってきた。そんなことは初めてだったので、燎平は驚いて下着一枚の姿のまま階段を駈《か》け降りた。

「私、もうくたくた」

と電話の向こうから夏子は言った。

「どうしたん？　何かあったの？」

「お葬式やったの……。その前はお通夜で、きょうが初七日よ」

「……誰が死んだんや？」

「お父さんが死んだの」

「誰の？」

「私の、よ」

最初、燎平は夏子が酔っぱらっているのではないかと思った。どことなく粘《ねば》りつくような喋り方が、いつもの夏子らしくなかったし、父が死に、もう葬儀も済んできょうが初七日だったと突然言われても、にわかには信じかねる話であった。

「いまどこにいてるの？」

「家よ。さっき、やっと親戚の人が帰って、いま、やれやれって感じで服を着換えたところ」

「……ほんとにお父さんが死にはったんか？」

「ほんとにきまってるでしょう。そんな嘘《うそ》を燎平についても仕方がないわよ」

「なんですぐに知らせてくれへんねや。俺も金子もお葬式に行かせてもらうのに」

「そやけど、急なことで、もうびっくりして、燎平のことなんか忘れてしもてたの」

「……ふうん」

夏子は、一緒に珈琲でも飲まないかと、くぐもった声で誘った。その声を耳にしたとき、燎平は夏子の言っていることが嘘ではないことを悟って、慌てて時計を見た。九時を少し廻ったところだった。

「いまからそっちへ行ってたら、十時になるでェ」

「うん、六甲の駅まで迎えに行ってあげる。家の近所に遅くまでやってる店があるのよ」

それから、電話を切ろうとした燎平に、夏子は、ごめんねと言った。

「こんな遅くに、ごめんね。疲れてるのに」

「うん、ええよ」

「燎平は、ほんとはすごくスタミナがあるのよね」

「うん、そやけど、寝不足には弱いんや」

阪神電車で梅田駅まで出て、阪急の神戸線に乗り換えた。

六甲駅までの時間が、ひどくまどろこしかった。電車の窓から、蒸《む》した風が木犀の匂いと混ざり合って入ってきていた。木犀の花が、あたりを蒸しているような気もしたし、実際に気圧が下がって、雨が近づいてきているような気もした。夏子も、体のどこかに、木犀に似た濃密な匂いを秘めていはしまいかと思ったとき、燎平は突然、何も身につけていないすべすべした夏子を抱いている空想にのめり込んだ。

ことしの春、クリーニングに出して、そのまま洋服ダンスにしまってあったグレーの丸首のセーターを引っ張り出し、大慌てで着込んできたのだが、木犀の匂いとそのセーターのナフタリンの匂いとが一緒になって、燎平の心を絶えずけだるく刺激してくるのである。

駅の改札口を出ると、停めてある車の中から手を振っている夏子が見えた。夏には極端に短く切っていた髪がやっと伸びて、夏子はかえって幼くなったように思えた。

「遅いなあ、三十分も待ったのよ」

「十時は廻るって言うたやろ。これ以上、早ようにはこられへんでェ」

「そやけど、もう帰ってやろうかと思ったわ」

「ようそんな勝手なこと言うなァ」

そうか、よしよしという感じで、燎平は夏子を見た。わがままなところをむき出しにした、夏子らしい傲慢《ごうまん》な横顔が懐《なつか》しかった。夏子は無言で、昔からの屋敷町を縫《ぬ》ってのぼって行く曲がりくねった細い道を走らせた。夜の住宅地には、花の匂いが満ちていた。夏子は、大きな高級マンションの地下にある店に燎平をつれて行った。

「お酒飲んでもいいわよ。奢ってあげる」

夏子はそう言ったが、燎平は珈琲を頼んだ。

「まだ未成年者やからなァ」

白いタキシードを着た若いウェイターが、テーブルのキャンドルに火をともしていった。

「昼間は喫茶店やけど、夜には、お酒とか料理を出す店になるの。こんなお店が、このあたりにたくさん出来てるのよ」

「お父さん、なんで死んだん？」

夏子は窓を覆っている厚手の葡萄《ぶどう》色のカーテンをめくって、外の暗がりを覗き込みながら、

「先週の日曜日、ゴルフに行ってて、クラブハウスで倒れたの。心臓マヒですって」

と言った。

「疲れたやろ？」

「うん、びっくりしたから……」

夏子は初めて、燎平の顔を真っすぐに見つめてきた。鼻筋や額が小麦色に光っていた。

「陽に灼けて黒くなったみたいや」

燎平が不審そうに質問すると、

「うん、ハワイに行ってたのよ、お父さんと」

夏子は大きな溜息《ためいき》と一緒に、頬づえをついてそう答えた。

「ハワイ！　いつ？」

「先月の末から一週間。ちょっと働き過ぎた、たまにはのんびり息抜きをしようって、私をつれて行ってくれたの」

「へえ、帰って来てから、すぐに？」

「うん、十日ほどたってから。……私もお母さんも気が動転して、どうしたらいいのか、わからへんかった」

とにかく事業が軌道に乗って余裕が出来てからも、働いてばかりいる父親だったと夏子は言った。ゴルフも、社員の誰かから勧められて、健康のためにと最近始めたばかりだった。

夏子の父、清の経営するフランス菓子の専門店〈ドゥーブル〉は、戦後の昭和二十五年に神戸に小さな店を開いて以来、着実に発展してきて、いまでは西宮に大きな工場と、本店以外に神戸に三軒、大阪と京都に四軒ずつの支店を拡張し、阪神間のデパートにもそれぞれ進出して、社員数三百二十名の会社にまでなっていたのだった。

夏子はハンドバッグから紙包みを出した。ハワイで写してきた写真が数枚入っていた。

「お父さんが写したのよ」

夏子の差し出した写真を見て、燎平は思わず言った。

「……凄《すご》いビキニ」

小さな赤い水着をつけた夏子の濡れた裸体に、燎平は長いこと見入っていた。珈琲カップを口に運びながらも、いつまでも写真から視線を外さなかった。

「こんな格好、一週間も、外人の男にただで見せてきたの？」

夏子は、くすっと笑って、燎平の手から写真を奪い、

「お父さんとおんなじこと言ってる。もうちょっと肌を隠したらどうやって、ハワイにいてるあいだ中ずっと心配してたわ。ホテルで双眼鏡を借りてきて、それで私を見張ってるのよ。ねえ、父親に遠くから双眼鏡で水着姿を見られてる娘の心境って、複雑よ」

「一枚くれよ。ピンナップがわりに、壁に貼っとくから」

「いやよ、燎平の傍《そば》には、危なくて置いとかれへんわ」

ほんの一瞬、いつもの夏子らしい笑顔をみせただけで、あとはテーブルの上のキャンドルに目を移して黙り込んでしまった。夏子は本当に疲れているようだった。

ふたりは、それからとりとめのない話題を無理に捜し出して、一時間ばかり坐っていたが、時計の針が十一時をさしたのを見て、表に出た。

冷たいやわらかな湿《しめ》りを頬に感じて、夜の空を見あげると、街路灯の光の中で、風が仄白《ほのじろ》い幾重もの膜《まく》のようになって動いているのが見えた。夏子の肩や頬にも小さな粒子がまとわりついていた。あるかなきかわからぬほどに細かい霧雨が、波打つようにして風に舞っていたのである。

「うわあ、こんな気持のいい雨、初めてよ」

と夏子は言って、顔をのけぞらせて長いあいだ目を閉じていた。顎から喉《のど》にかけてのくぼみにも、霧吹きで吹き流したみたいに、無数の水滴が付着して、夏子の全身を、硝子《ガラス》の細工物に変えていった。

燎平も腕を前に突き出し、全身で霧雨を受けてみた。セーターの毛にも、頭髪にも、眉の毛にも、水滴はこびりついて重なり合っていった。

「私の家、すぐそこよ」

夏子は目を閉じて、顔をのけぞらせたままの格好で、淡く光り始めたアスファルトの道を歩きだした。

「車はどうするんや？」

「ここの駐車場に置いといてもらうわ。ときどきそうやって、歩いて帰ることがあるから……」

燎平は夏子の横に並び、同じように顔で霧雨を受けながら道をのぼった。

「終電車は何時やろ」

「大丈夫よ。十二時前に、梅田行きの電車が通るから」

しかし梅田から家までは、ひょっとしたら歩いて帰らねばならぬはめになるのではなかろうかと考えていると、夏子の体重を体の左側に受けて、頬に生温《なまあた》かいものがよぎるのを感じた。燎平は立ち停まり、目をあけて夏子を見た。夏子も目をあけて、燎平を見つめ返していた。

「夏子、いま俺の頬っぺたにキスしたの？」

「そうよ。お礼のキスよ」

「……へえ」

燎平は自分の頬を指先でさわってから、

「気がつけへんかったから、もういっぺんしてくれよ」

と言った。夏子はあたりをうかがい、それから笑顔を浮かべて近寄って来、両腕で燎平の頭をかかえ込んで、頬に長いこと唇をつけていた。夏子の全身を包んでいる細かな水滴が、燎平にまといついている水滴と混ざり合ってつぶれ、そこだけ液体になって濡れそぼった。

「これから、いろんな問題が起こってくるやろなあ」

と燎平が言うと、

「うん、まず手始めが、跡目問題ね」

夏子は、こんどはうつむいて夜道に視線を落としたまま、ゆっくり歩き始めた。霧雨は、強くも弱くもならず、風に乗っていつまでもふたりのまわりでうねっていた。

「わがまま放題のお嬢さんではおられへんようになる」

「うん、……そうね」

「せっかくお父さんがここまでに作りあげた会社を、あっさり人の手に渡してしまうわけにはいかんよなァ」

「うん、そうよ」

何を言っても、夏子はひどく素直だった。

夏子は一人娘だったからやがて父親は婿《むこ》を取って跡を継がせたい意向だったようで、会社の役員には自分の一族の者を配して、徐々にその手筈《てはず》を固めようとしていた矢先のことだったと彼女は説明した。

「専務が伯父さんで、常務は私の従兄《いとこ》なの」

夏子は豪壮な邸宅が向かい合っている四つ辻を左に曲がった。道は両側の家々の植込みにそってなだらかにのぼっていた。高い石垣の塀に囲まれた洋館風の古い建物が、かなり年月を経てきたと思わせる真鍮《しんちゆう》製の門灯の青い光で浮きあがっていた。

「これが、私の家」

そう言って、夏子は立ち停まり、自分の家を見渡すように顔を動かして、

「私、うちのお店のケーキが好きなの。凄くおいしいのよ」

水滴はそれぞれが重なり合っていつしか大粒となり、燎平のこめかみにも、夏子の頰や鼻筋にも流れ始めていた。

「でもね、機械がどんどん改良されて、どんなに大量に作れるようになっても、ケーキってのはやっぱり手作りのものやから、ここ二、三年のあいだに味が落ちてきたって言われたのを、お父さんは、気にしてたみたい。社長なんて呼ばれてても、ほんとは根っからのケーキ職人やったから」

夏子の家の二階の窓に明かりが灯《とも》り、人の影が映ったり消えたりした。

「あれはお母さんよ。いまお風呂からあがって、寝巻に着換えて……」

濡れて、肩や腕や胸にへばりついているブルーのワンピースが、夏子の体の線を生々しく縁どっていた。夏子は、もう一度燎平にごめんねと言ってから、何だかいやに頼りない口調で、

「早く行かないと、電車がなくなるわよ」

とささやき、門扉《もんぴ》の横の小さな開き戸をくぐった。

燎平は、夏子が玄関までの砂利道を歩いて行く足音に耳を澄まして、長いこと立ちつくしていた。それから、霧雨の降りつづく屋敷町をゆらゆらと下って行き、神戸からやって来たが空きの、かすかにアルコールの匂いの漂う電車に乗った。


朝、雨はあがっていた。燎平は遅い朝食を済ましてから、よく晴れた表通りに出た。きのうの細かい雨の名残りを、街路樹の根元あたりにみつけることが出来たが、このぐらいの湿りのあるほうが、テニスコートの具合は良好なのだと考えていたとき、貝谷の言葉を思い出した。きのう、貝谷は、一時に靫公園のテニスコートで待っていると言ったのだが、燎平が行くとも行かないとも返答しないうちに、帰ってしまったのである。

すっかり忘れてしまっていたのだが、思い出してしまうと、だんだん気になってきて、そのまま無視して放っておくわけにもいかないという思いになり、燎平は靫公園への道を、しぶしぶ自転車を漕《こ》いで行った。指定された一時という時間にはまだ間があったが、公園内にあるテニスクラブの中庭の藤棚の下で、貝谷は燎平を待っていた。貝谷は、燎平が自転車に乗ってやって来たのを見て、

「なんや、お前の家、この近所か」

と言った。そして、クラブハウスの横に置いてある自分の自転車を指差した。

「へえ、きみの家も、自転車でこれるとこか」

「これるどころか、歩いても十分ほどのとこやがな」

貝谷はベンチの端に置いてある紙包みからコーラの缶を出し、燎平の手に渡しながら訊いた。

「俺、まだ名前を教えてもろてないなァ」

「椎名や。椎名燎平」

「あの、眼鏡の大男は何て言うんや？」

「金子慎一」

「ふうん、金子か。何を食うたら、あんなに大きなれるんやろ」

そういう言い方が癖らしく、貝谷はいかにも小馬鹿にしたような、力のない語調で目をしかめた。生来のきついウェーブでよじれた、おさまりのつかない頭髪以外は、眉も眼も鼻梁《びりょう》の形も、よく見るとそれぞれ端整な造りをしていて、貝谷の顔は実際は第一印象よりもはるかにきれいだった。

爽《さわ》やかなもののない、しかし美貌と言えば言える顔つきが、わざとひんぱんにしかめてみせたり、ふてくされてみせることで、一種の老成した小生意気な輪郭をつけ加えてしまっているのである。

貝谷はコーラの缶を片手に、テニスコートの横の通路を歩いて行った。日曜日で、秋晴れの気持のいい日和《ひより》だったから、どのコートも満員で、順番を待つ人たちがたくさんベンチに腰かけていた。

「あそこに、白いハンチングをかぶった爺《じい》さんがおるやろ」

貝谷の言った場所に目をやると、チルデンセーターを着てベンチに坐り、コートの空《あ》くのを待っている背の低い老人の姿があった。ハンチングの下に、陽灼けた赤《しやく》銅色《どういろ》の顔が見える。

「あの爺さん、なにわ筋にある酒屋の隠居やけど、凄いテニスをしよるでェ」

「面白いテニスて、あの人のことか？」

貝谷は軽くうなずいて、観覧用に作ってある石段に腰を降ろし、

「俺なんか、逆立ちしたって勝たれへんわ」

と言った。

「インカレクラスの連中でも、ちょっとやそっとでは勝たれへん。魔法みたいなテニスや」

「……へえ」

「あの爺さんが本気で細工をしよったら、ボールが地面についてから、右に跳ねたり左へ滑ったり、バウンドせんと沈んで行ったり、そらもう見事なもんや」

そして貝谷は、それが親しみなのか嘲《あざけ》りなのか判別のつきかねる笑みを投げつけて、

「あの爺さんのテニスを真似する以外、お前があとたった三年間で、ものになる方法はないやろなァ」

と言った。燎平は、何と答えたらいいのかわからずにそのまま黙っていた。

燎平は、テニスに対して、そんなにだいそれた夢を持っていなかった。ものにならないなら、それはそれでよかった。もし自分に幾分かの才能があって、大学生活のあり余る時間の中で、適当にトレーニングを積み重ねていくことで少しはテニスらしいテニスに近づけるならば、それで充分な気もした。燎平は、いまのところ他に何もすることがなかったから、金子に引き留められるまま、テニスの練習をつづけているにすぎないのであった。

太陽をあびて坐っていると、着込んでいるグレーの丸首のセーターから、きのうの霧雨の名残りが、ことごとく気化して消え去ってしまう思いに駆られた。

本当にきのうの夜は、風に舞う細やかな雨の中を、夏子と寄りそって歩いていたのか。本当にきのうの夜は、いつになく頼りなげでしとやかな夏子の唇を、水滴にまみれた自分の頰に受けたのか。燎平はそのときの情景やら感覚を思い出そうと、焦点の定まらぬ目を、テニスコートの白線のあたりに投げやって、ぼんやり考え込

んだ。

するど、とめどなく降りしきっていた霧雨も、樹木の香りを孕《はら》んだゆるやかな風も、自分の頭をかかえ込んできた夏子の熱い胸も、何もかもがその場かぎりのきまぐれであったような気がするのだった。燎平はコーラを口の中に含んで、膨《ふく》れあがってくる奇妙な味の泡を舌先で転がした。

「俺が小学生のころから、あの爺さん、毎日このクラブでテニスをやっとった」

と貝谷は言った。

「星野祐子も、あの爺さんのこと、よう知ってるはずやでェ」

「……へえ、何でや？」

「昔、このテニスクラブで子供テニス教室いうのんをやっとって、俺もあいつも習いに来とったんや」

「昔て、いつごろのことや？」

「小学校の四年のときやから、もう九年ぐらい前かな」

「祐子のやつ、そんなことひとことも言えへんかったなァ」

「そらもう、俺のことなんか忘れてしもてるよ。覚えてるのは、俺だけや」

貝谷はそう言って、足元の小石を拾い、金網に向かって投げつけた。

「まさか俺とおんなじ大学に来てるなんか、思えへんかったなァ」

「お前こそ、よう祐子のことを覚えとったなァ。そんな子供のころに知り合うた女の子を」

貝谷は顔をあげて、燎平を見た。さぐるような目で、しばらく燎平の顔や肩口のあたりに視線を注いでいたが、そのままテニスコートのほうを振り返ると、

「さあ、いよいよご登場や」

と言った。

老人はぶかぶかのトレーニングパンツをひきずるようにしてテニスコートの真ん中に立つと、ハンチングを脱いで、これからダブルスの試合をしようとしている相手のペアに頭を下げた。赤銅色の頭には、毛が一本もなかった。

試合前の軽い打ち合いのときは、べつに何の変哲もないテニスであったが、いざ試合が始まると、ボールの質が一変した。ゆるやかに飛んでいるのに、着地した途端、猛烈に跳ねあがったり、横に滑って行ったりするのである。ボールはラケットから放たれたときは死んでいるのに、相手のラケットに当たる寸前で生き返って、すばしこく踊り狂うのだった。

派手なフォームでもなかったし、見惚《みほ》れるようなフットワークでもなかった。老人は飄々《ひょうひょう》とラケットを操《あやつ》っていたが、ボールにはすさまじい回転がかけられているのだった。そのために、相手は打ち返すのがやっとという感じで、首をかしげてみ

たり、舌打ちをしてみたり、顔を見合わせて苦笑いをしてみたりするだけだった。

「まああの相手やったら、一ゲームも取られへんよ」

貝谷はそう言ったが、それから十五分もたたないうちに、ワンセットが終わってしまった。

「よっぽど手首が強いのかな」

燎平の言葉を途中でさえぎって、

「手首だけで、あんな回転がかけられるかよ。肩や。肩でボールを切ってるんや」

貝谷は言った。

「サーブ・イン・ショルダー、ボレー・イン・ショルダー、スピン・イン・ショルダー、スライス・イン・ショルダー。……あの爺さんの口癖や。小学生のときは何のことかわかれへんかったけど、やっとこのごろ納得がいったよ」

「何が？」

「力いっぱい変則に徹したら、それはそれで正統やということや」

燎平には、貝谷の言った意味がよくわからなかった。それで、あいまいな顔つきをしたまま、ベンチに戻って汗を拭いている老人を見ていた。

「王道と覇道《はどう》という言葉があるやろ？」

「……うん」

「俺は、どんな世界でも、覇道が好きや。たとえば、あの爺さんのテニスは覇道や。理屈も理論も通用せえへん。あの回転にはお手上げやないか。基本通りに一所懸命練習して、なんぼ見てくれのええ華麗なテニスが出来ても、あの気持の悪い回転にかかったら、結局はきれいごとや。あの回転は、やっぱり凄いよ。あれこそ覇道や」

燎平は何かを言い返そうとして、口をひらきかけたが、貝谷のいやに熱っぽい目を見たとき、反論する気持を失ってそのまま真っ青な空をあおいだ。反論しようと思えば、いくらでもその余地がある貝谷の言い分に、燎平はそれなりの、ある真実を感じたのだった。

突然、燎平の心に、門扉の横の小さなくぐり戸に消えた夏子の、砂利道を遠ざかって行く足音が聞こえた。それは、もう決して帰ってこない人の足音であるように思えた。女としての夏子はきっといつか覇道に屈《くっ》するだろうという予感が、燎平の心をとらえた。夏子には、確かにそんなところがあるような気がするのであった。貝谷の言った覇道という言葉は、不思議にいつまでも燎平の中に居坐りつづけた。

「よし、ボールに回転をかけたらええんやろ」

と言って、燎平は立ちあがった。

「中途半端な回転とは違うぞォ。あの爺さんみたいなやつや」

「これから毎日毎日、アホみたいにそればっかり練習したらええんやろ」

「三年たったら、けったいな、手に負えんテニスが出来るよ」

貝谷はそうあおるように言ってから、

「最低三年はかかるぞ。出来るようになったころには卒業や」

と意地悪く笑ってつけ足した。よし、徹底的にやってやる、自分には他には何も目標がないのだから、と燎平は思った。たかがテニスのボールに、回転を与えるぐらいのことが出来なくてどうする。夏子は、ちゃんと廻りだしたではないか。思いがけない父親の死によって、好むと好まざるとにかかわらず、夏子はこれからくるくると回転を始めるだろう。俺も回転をかけてやる。覇道だ、王道よりも覇道だ、力まかせの回転だ。燎平は心の中で、支離滅裂な言葉を自分に向けて吐きつけた。そうしているうちに、彼は傍《かたわ》らに並んで立っている貝谷朝海に対して、何か得体の知れない敵対心が湧いてくるのを感じた。燎平は、貝谷の顔色の悪い怜悧《れいり》な横顔を斜めに見すえ、精一杯意地悪な響きを作って言った。

「涙ぐましい純情やな。小学生のときから、星野祐子のことを思いつづけてきたとはなァ」

貝谷は片方の指先で自分の顎の肉をつまみながら、険しい目を注いできた。その目を見ているうちに、燎平の気持はいっそうむらむらと激してきた。

燎平は藤棚の下を歩いて行き、貝谷がこっちを見ているのを確かめてから、彼の自転車を思いきり蹴《け》り倒した。燎平が、他人に対してそうした行動に出たのは、初めてのことであった。いったいなぜそんなに腹をたてているのか燎平にはわからなかったが、彼はまだやりたりない感情を抑えて、せかせかと貝谷のところに戻って行き、

「にやにや笑いやがって……。お前を見てたら虫酸《むしず》が走るよ」

と言った。もっともっと毒づいてやりたかったが、それ以上は適当な言葉が浮かんでこなかったし、考えてみればいったい貝谷のどこが気にくわないのか、燎平自身はっきりとは摑《つか》みかねるのであった。貝谷という人間の持つ何物かが、燎平をわけもなくいきり立たせ、焦《じ》らせてくるのだった。

貝谷は倒れている自転車のところまで行き、無気力な動作で起こしてから、燎平を見て笑った。楽しそうな笑いだった。燎平は、ポケットから百円玉を出して、貝谷の傍に歩み寄り、

「これ、さっきのコーラ代や」

と言った。

「いらんよ。あれは毒入りコーラや」

貝谷はそう言ってから、自転車を漕いで、クラブハウスから公園内の敷地に通じ

る小道を帰って行った。

それから十日ほどたった雨あがりの午後、燎平がフランス語と心理学概論の講義を受けてから、部室に顔を出すと、金子慎一が困惑したような表情を浮かべて立っていた。

「ゆかりの様子がおかしいんや」

と金子は部室の窓から水びたしのテニスコートを眺めて言った。

「あれから、ぜんぜん学校にも来よれへんし、電話をかけても出てきよれへん。どうも居留守をつこてるみたいなんや」

「医者は一週間と言うても、切ったり縫うたりするんやから、もうちょっと時間がかかるんやろ」

金子は、きょうは練習中止やなァと溜息まじりにつぶやいてから、

「燎平、ゆかりの家に寄ってやってくれよ」

と言った。

「俺が？　何でや」

「電話に出てくるお袋さんの様子もおかしいし、何かわけがあるみたいで、気になってるんや」

しばらくすると、祐子が三宅や鶴永たちとやって来た。

「祐子に行ってもらえよ。こういう使いは、女の子のほうがええと思うなァ」

と燎平は言った。しかし祐子は、ゆかりの家を知らなかったので、結局金子に頼みこまれ、燎平も同行することになった。燎平と金子は、一度だけゆかりに誘われて、家で夕食をごちそうになったことがあったのである。ゆかりの家は、淀屋橋から土佐堀川に沿って西へ少し行った肥後橋というバス停の近くにあった。

バスを降りると、道路沿いに建っている〈荒井建築設計事務所〉と看板の出ているビルを指差した。三階建ての洒落《しゃれ》た建物で、一階が事務所、二階と三階が住まいになっているのである。

「俺、表で待ってるよ」

燎平は川岸の堤防の上に腰を降ろした。だいぶ待たされるだろうと覚悟していたが、祐子はすぐに帰って来た。サングラスをかけたゆかりも一緒だった。ゆかりは絶えず顔をそむけるようにして、堤防に手をついていた。よく見えなかったが、茶色いレンズを通して、異様にえぐれてしまった手術後の瞼がうかがえた。

「燎平、ゆかりに言ってやってよ。ゆかり、凄くきれいになったでしょう？」

祐子に促されて、燎平は慌てて相槌《あいづち》を打った。

「うん、ゆかり、大成功やないか。何と言うか、そのう、凄くエキゾチックになったぞォ」

しかし、そこにあるのは、ゆかりとは似ても似つかない、まったく別の人の顔であった。ゆかりがゆかりであるところの、幾分かの邪気と幼なさとを含んだ若やぎが、瞼の脂肪とともに消え失せてしまっているのである。

「ゆかり、きっとまだ自分の顔に慣れないのよ。ゆかりが慣れたら、みんなも慣れてしまって、それがゆかりの顔になってしまうわよ」

「そうや、そうや。それに傷口も十日やそこらでは元に戻らへんでェ。二、三ヵ月したら、ちゃんときれいに整って、抜群の目元になると思うなァ」

ゆかりは何を言われても、黙ってうつむいたまま、川の流れを見ていた。哀れなくらい悄然《しょうぜん》としてしまっているのだった。

ふたりはゆかりと別れてから、雲が切れて夕陽に照らされ始めた舗道を本町のほうへと歩いた。バスがなかなかやってこなかったので、地下鉄に乗るという祐子を、駅まで送って行くことにしたのである。

「ゆかりの顔を見たとき、俺、ドキッとしたよ」

祐子は少したためらってから、

「ゆかりねェ、あの貝谷くんのことを好きなのよ。彼に、二重瞼にしたら、ゆかりはもっと魅力的になるって言われて、それで整形手術をする気になったらしいの」

と言った。燎平は驚いて祐子を見つめた。

「ちぇっ、ゆかりはアホやなァ」

「女って、そんなもんよ」

祐子は恥かしそうに微笑《ほほえ》んで、風にあおられた髪を押さえた。

「俺も、あいつに毒入りコーラを飲まされてから、胃の調子が悪うてしょうがないんや」

貝谷に勧められた、極端な回転をかけるテニスのことを、燎平は祐子に話して聞かせた。貝谷が、小学生のとき祐子と同じテニス教室に通っていたことを、話そうか話すまいか思案したが、燎平は結局黙っていることにした。貝谷が言ったように、祐子はあの老人のことをよく知っていた。

「あんなテニス、他に誰も真似《まね》なんかでけへんと思うわ」

と祐子は言った。

「早瀬八郎太さんていうのよ」

「八郎太！　そういえば古武士みたいな顔つきやったなァ」

「早瀬さん、きっときょうもテニスコートに来てるわよ。うちのコートと違って、あそこは水捌《みずは》けがいいから」

「俺、もういっぺん、あの爺さんのテニスを見たいなァ」

燎平は、祐子とこのまま別れてしまいたくなくて、そう言ってみた。靫公園までは歩いてすぐだった。日は暮れかかっていたが、テニスコートでは、まだ数人がボールを打ち合っていた。いちばん奥のコートに早瀬老人はいた。一見して相当な技量を思わせる若い男と試合をしているらしく、どちらかの口から、ときおりポイントをコールする声が発せられていた。若い男の顔も、燎平は見覚えがあった。どこかの大学のOBで、いまでも大きな試合には必ず出場してくる選手であった。

「俺も、ゆかりも、まんまと貝谷に乗せられた。あの野郎、どこかの教祖にでもなれるやつや」

燎平は貝谷の笑みを思い描いて、思わずそうつぶやいた。祐子は金網に凭れて、老人と若い男の試合を見つめながら、

「私、早瀬のお爺さんのこと、好きよ。このクラブの人は、何となくけむたがってるけど」

と言った。

「……へえ、なんでや？」

「早瀬のお爺さん、絶対に容赦《ようしゃ》してくれへんから……。これでもか、これでもかって、やっつけるのよ」

「祐子も、やっつけられたの？」

「うん。早瀬のお爺さんとテニスをしてたら、何か、哀《かな》しくなってくるの」

燎平は、暮れなずむテニスコートに視線を移して、早瀬老人を見た。確かにそう言われれば、老人にはどこか、対戦相手を哀しくさせるものがあるような気がした。早瀬老人のフォームは、独自でもあったし同時に異端でもあった。それは、ある奇妙なリズムに乗って、宙を飛んでくる仮想の敵を斬り払っている孤独な古武士の、静謐《せいひつ》な太刀《たち》さばきを連想させるのである。

「あのテニスを完成させるのに、早瀬のお爺さん、三十年もかかったのよ。三十年間、毎日毎日、ボールに回転をかけてきたの。上下に回転をかける人はたくさんいるけど、あんなふうに、左右にも回転させる人は、他にはあんまり見たことがないわ」

燎平は祐子の言葉を聞きながら、自分がひどく愚《おろ》かな人間であるような思いにひたっていた。いや自分だけではなかった。ゆかりも、夏子も、それから傍らに並んで立っている星野祐子の清楚なたたずまいの奥にも、愚かで哀しいものが隠されているような気がするのだった。それは、ボールに独自な回転を与えるために、三十年間もひたすらラケットを振りつづけてきたという早瀬老人の、ある哀しみを帯びた動きから伝わってくるものであった。

風にあおられて、ポプラの並木が揺れ動いていた。赤い雲が流れていた。老人も、若い男も、祐子のやわらかそうな髪も、どれも一瞬も休むことなく動いていた。動いていたけれども、燎平の目には、ゆるやかに飛行していって、着地と同時に予測のつかない方向に跳ねあがる回転のかかったボールの、蛇みたいな動きだけが、烈しく生きているただひとつのものであるように思えていた。

5

フランス菓子の専門店〈ドゥーブル〉の本店は、三宮センター街の中にあった。店の入口には、職人がケーキ作りを実演してみせる場所があり、奥に何種類ものフランスパンやケーキを売るコーナーがあった。その横には喫茶室がつづいていて、かなり広い面積にテーブルと椅子《いす》がゆったりと置かれていた。

喫茶室の中の、通りに面した大きなガラスに顔をひっつけるようにして人波を眺めていると、サリーを着たインドの女性や、外国船の船員らしい東洋系の顔立ちの男たちが通り過ぎて行くのが見えた。いかにもアメリカ人らしい若者もいたし、ギリシャ系の太った老夫婦が、カメラを片手にゆっくり歩いている姿もあった。

「俺は、この神戸という街が、どうもあんまり好きやないんやなァ」

と金子慎一が言った。

「三ノ宮の駅に着いた途端に、何となく落ち着かんようになる」

「私は大好き。おいしいケーキを食べて、こうやって外国の人の歩いてるのんを見てたら、気持がゆったりしてくるわ」

祐子はレモンパイを食べてから、小首をかしげて長いこと思案していたが、結局もうひとつ同じものを註文して、ミルクのいっぱい入った紅茶をすすった。

「祐子は、レモンパイに狂ってるんや。どこに行っても、レモンパイを食べよる。そんな調子やったら、テニスを辞《や》めたらブクブク太ってくるぞォ」

金子が眼鏡の奥から祐子をうかがって言った。約束の一年間の期限が過ぎて、星野祐子はテニス部を辞めることになっていたが、燎平も金子も、なんとか思いとどまらせようと、さっきから手を変え品を変えて説得をつづけているのだった。

「テニスを辞めたら、甘いものはもう食べへんようにするの」

祐子は上目づかいに金子を見つめて、運ばれてきた二つめのレモンパイを口に入れた。それから、

「私、いろんな店のレモンパイを食べたけど、絶対ここが一番やて思うわ」

と言った。燎平たちは二回生になり、新入生が大勢入学してきて、テニス部も総勢十八名になっていた。新入部員の中には、高校時代にテニスの選手だった者も混じっていたから、テニス部としての人員も質も、いちおう形が整ったわけだったが、祐子には辞めてもらいたくなかった。祐子は特別な存在だった。燎平は両手で頬杖

をついて、

「祐子は、我がテニス部の母であり、恋人であり……」

と言ったが、その次の言葉がつづかなかったので、金子を睨《にら》んで目くばせすると、

「海であり、山であり、大地であり、しかも財布《さいふ》でもある」

金子は目を閉じて詩を朗読するように言って、テーブルの上の伝票を祐子の前に押しやった。

「アホ、もうちょっと女の子の歓《よろこ》びそうな言葉はないのか。海とか山とか財布とか、ろくでもないもんばっかり並べるなよ」

燎平が金子の額《ひたい》を指で突いたとき、ガラスの向こう側で手を振っている夏子の姿が見えた。夏子は春物の、少し光るような布で作ったワンピースを着て、いつもより濃いめの化粧をしていた。小走りで〈ドゥーブル〉の店内に入ってくると、ウェイトレスのひとりに耳打ちしてから、燎平の横の椅子に腰を降ろし、

「ごめんね、遅れて。美容院が混んでたから、もう慌《あわ》てて走って来たのよ」

そう言って、やわらかくセットされた髪に両手をもっていった。もうじき五月だったが、夏子の胸元のあいた薄手のワンピースは、燎平にはひどく肌寒そうに見えた。

「夏子はいいなァ……。どんな服を着ても、ちゃんと似合ってしまうのよねえ」

祐子が、言葉ほどには羨《うらやま》しそうでなく、いつものおっとりした口調で言った。燎平は、少し痩《や》せたように見える夏子の横顔に、ふくよかなものが失くなっていることに気づいたが、目の強い光を見ていると、夏子がおとなになったのだと思えてきた。きょうは、夏子の誕生日であった。

夏子は二月の試験のときに学校にやって来ただけで、あとはほとんど姿を見せなかった。父の死後、〈ドゥーブル〉の社長には、夏子の母が就任した。実質的には、専務である伯父が采配を振るっていたから、跡目問題ではいろいろと難しいやりとりがあったようだったが、夏子の父の生前からの希望どおり、いちおう形だけは、社長の座は佐野家がおさえたのである。

「全体的に、きりっとしたみたいやな」

燎平は夏子の体を上から下まで見つめながら言った。

「かなり女っぽくなったよ」

金子が言うと、

「気を遣うことが多いから、なんとなくぎすぎすしてるのよ」

と夏子は溜息《ためいき》をついた。さっき夏子に耳打ちされたウェイトレスが、小さな菓子を運んできた。生クリームを包んだクレープに、オレンジシロップのかけられた菓子であった。

「これは店では売ってないのよ。ときどき気の向いたときだけ、ペールが従業員や私やお母さんのために作ってくれるの」

「ペールって、誰？」

燎平が訊《き》くと、祐子が、

「フランス人の職人さんよ。昔は、その人が表の調理場で、お菓子を作るのを通行人に観せてたのよねえ。私、小学生のときに、このお店の前に立って、ずっと見てたことがあるわ」

と言った。

「ペールとお父さんとで、このお店を始めたの。ふたりで作ったお店やから〈ドゥーブル〉って言うのよ」

「その人、もうどのくらい日本にいてるの？」

燎平は、いかにも手間と時間をかけて作られたと思われるオレンジシロップの、繊細《せんさい》な甘さを口の中に流し込みながら訊いた。

「もう二十年近くになるみたい。私が生まれてちょっとしてからやもん。きょうはペールも来てくれるの。彼、すごく中華料理が好きやから」

「えっ、きょうは中華料理を食べるの？ 私、レモンパイをふたつに、そのうえクレープまで食べて、紅茶を二杯も飲んでしもたわ」

祐子が両手で口を押さえて小声で叫んだので、

「きょうは夏子の誕生日の夕食に御招待いただくということやったから、俺は昼めしを半分に減らして、準備おさおさ怠《おこた》りなく……」

と金子が横目で見つめながら言った。

元町通りの一角を北へかなりのぼったところに、桃香園という、そう大きくもない中華料理店があった。丸い大きなテーブルが五つあって、奥に小宴が出来そうな座敷がある。

燎平たちが到着したときには、すでに夏子の母が先に来て待っていた。真ん中のテーブルでひとりジャスミン茶を飲んでいたのだが、小柄で目の少し垂れぎみの、歳よりも若く見える顔は、夏子とはまったく違う造りであった。燎平たちは初対面の挨拶をしてから、もう間もなくやって来るだろうという老フランス人を待った。

「港が見えるぞ」

と金子がはしゃいだ口調で言った。

「港が見える。ごみごみした街の向こうに、港が光ってるぞ」

金子らしくない、変に上ずった声でそうつぶやくと、夕暮の紺色《こんいろ》の港を見つめた。港では客船や貨物船が灯を点《とも》して浮かんでいた。どれも動いているものはなく、街のネオンだけが雑然と輝いていたが、金子の言うように、海には一枚の鈍い光がたちこめて静まりかえっているのだった。

「金子さんの体なら、いくら食べても満腹にならないんじゃないですか？」

夏子の母は金子の巨体を、あきれたように見て言った。燎平は、亡夫の跡を継いで、従業員三百人の会社の社長になった中年の婦人の顔を見た。燎平などには思いも寄らない気苦労やら苦渋《くじゅう》やらをにわかに味わうはめになった平凡な顔立ちの母親は、視線を変えて、

「椎名さんは、電話ではときどき声を聞いたことがありますけど、想像してたとおりの方ですよ」

と笑った。

「はあ……そうですか。どんなふうに想像なさってましたか」

「敏捷《びんしょう》やけど、甘えん坊さん。やっぱり、ひとりっ子っていう感じですよ」

「はあ……、でも、敏捷でもないんです」

「いや、こいつは敏捷です。リスみたいです。駅で切符を買うときなんか、どんなに混んでても、あっという間に割り込んでしまうんです」

いやなことを言いやがると思いながら、燎平は金子を睨みつけた。それで話題を変えたくて、

「社長さんになられて、もう半年になりますねえ」

と言った。言ってから、随分きざなセリフだなと思ったが、夏子の母は真剣な顔で頷《うなず》き返して、

「経営という苦労だけかと思ってたら、それだけとは違うんですよねえ、三百人もの人たちの人生を考えてあげるってことだってわかったんです。私には、とんでもない大役でしたよ」

そのとき、夏子が入口のほうに向かって軽く手を上げた。赤ら顔で二重顎《あご》の、丸々と太ったフランス人が、少し片足をひきずるようにして近づいて来ると、坐っている夏子の肩を抱いて、自分の頬をすりつけた。

「遅れて、ごめんね。遅れて、ごめんね」

フランス人らしい鼻に抜けるような発音の日本語で、ひとりずつに会釈《えしやく》しながら言って、腰を降ろした。それから肩で息をして、

「ここの坂は長いよ。途中で何べんも休んだよ」

と言った。言葉は完全な関西訛《なま》りで、笑うと目のまわりにいっぱい皺《しわ》が出来た。銀髪で、かなり禿《は》げあがっていたが、うしろにきれいになでつけた頭髪は艶《つや》やかだった。

「ペール・バスチーユさん。菓子作りの名人で、〈ドゥーブル〉のシンボルで、私のお父さんみたいな人」

夏子はそう言ってから、燎平と金子と祐子を、それぞれペールに紹介した。ペールは、にこやかに微笑《ほほえ》み返し、ひとりずつに日本式のお辞儀をした。そして祐子に言った。

「祐子さんは、とてもきれいね。夏子もきれいだけど、祐子さんもきれい。私は、祐子さんみたいな美人も好きですねえ」

夏子と祐子はペールの言うように、正反対の顔をしていた。夏子はどこまでもはなやいでいたし、祐子は何もかもがひっそりと清楚《せいそ》だった。

「私、美人やて言われたの、初めて……」

祐子は赤くなって、燎平と金子を交互に見つめつつ言った。

「へえ、初めて？　俺も金子も、毎日、美人や美人やて言うてるやないか」

そんな燎平の言葉に、祐子はさらに赤くなって言い返した。

「あれは、昼飯を奢《おご》れ、珈琲を奢れって言ってるのとおんなじでしょう？」

「いや、俺はほんとにきれいやと思てるから、きれいと言うてるんや」

燎平はむきになって言ったが、そうした言葉を何のこだわりもなく口に出来るのは、ペールという老フランス人の柔和な微笑に包まれているからだと思っていた。

「ペールさんは、何歳のときに日本に来られたんですか？」

前菜を食べながら、燎平は訊いた。

「……十七年前やねえ。えーと、私は四十七歳でしたね。夏子のお父さんが三十三歳で、夏子はまだ三歳だったよ」

菓子作りを学びにフランスに渡った夏子の父と、パリのホテルの菓子部で知り合ったのだとペールは言った。

「おいしいフランスのお菓子を、日本人に食べさせに来たのよ」

「お父さんとふたりで、船で日本に来たのよね」

夏子が横から合いの手を入れると、

「そう、マルセーユから船でね。戦争のあとやったから五十日以上かかったよ。地中海からシシリー、スエズ運河、それから暑い暑い紅海、インド洋、ボンベイ、セイロンのコロンボ、シンガポール、サイゴン、マニラ、それから香港から神戸……」

ところどころ聞き取りにくい部分もあったが、しっかりした日本語だった。

話題が途切れたとき、ペールはポケットからリボンのかけられた小箱を出して、もう一度夏子に頰ずりした。中には、銀製の小さなイアリングが入っていた。祐子もハンドバッグから贈り物を取り出して、テーブルの上に置いた。燎平は金子と顔を見合わせて、照れ臭そうに頭をかいた。プレゼントのことなど、きれいに忘れていたのだった。

「だいたい、こっちがご招待をせないかんのに、反対にご馳走《ちそう》になって、そのうえ手ぶらで来るんやからなァ……」

燎平がそう言ったとき、金子は遠慮ぎみに、ブレザーの胸ポケットから細長い包みを出した。

「これ、俺と燎平から。安物やけど……」

「へえ、私、ぜんぜんあてにしてなかったから、すごく嬉しいわ」

夏子は大袈裟《おおげさ》な身振りで金子から包みを受け取り、封を解いた。モザイク模様の彫り物を施した木の板の中に寒暖計がはめ込まれてあった。

「部屋のどこかに、ちょっと掛けといて、きょうは涼しいなァと思ったら眺める。きょうはいやに暑いなァと思ったら何度あるかなとまた眺めてもらうわけです」

金子のやつ、何を考えて寒暖計なんかにしやがったのかと燎平は思ったが、夏子は嬉しそうに包み直して、

「部屋の壁に、大事に掛けとくわね」

と言った。

「きょうのお前には、非常に大きな友情を感じるなァ」

燎平が耳元でささやくと、金子は真面目な表情をつくったまま小声で言い返してきた。

「千八百円やったからな、あとで九百円払えよ」

夏子も、夏子の母も、ペールが料理をたいらげるのを心配そうに見つめて、何度も、少しひかえるようにと注意していた。つい最近、きつい痛風《つうふう》にかかって、ペールは十日以上も寝込んでしまったのだと、夏子の母がみんなに説明すると、

「痛かったよ、あんなに痛かったのは初めてよ。遠くで自動車が走っても、頭に響いてくるのよ」

ペールは両手で頭をかかえて、うめき声をあげてみせた。

「誰もいない部屋で、じっと何日も何日も寝てたら、もうフランスに帰りたくなった。何日も、何日も、フランスに帰ろう、私はフランスに帰ろうって考えてたのよ」

四十七歳で日本に渡ってきたとしたら、この老いたフランス人には家族はいるのだろうかと燎平は思った。話しぶりから、今はひとり暮らしで日本での生活をつづけているように思えたからだった。だがそんな私生活のことに立ち入って訊いてみるのもはばかられて、燎平は次から次へと運ばれてくる料理を一心に食べた。

金子も猛烈な勢いで、それぞれの皿に箸《はし》を運んでいた。眼下の港はすっかり暮れてしまい、散らばっている船の灯が、茫々《ぼうぼう》と拡がる夜の街の延長のように見えた。

「清が死んだら、もう私が日本にいることはないよ。〈ドゥーブル〉は、大きな会

社になったからね」

「でも、ペールがいないと、みんなお菓子の作り方がわからへんでしょう」

夏子がペールの腕に手を置いて、子供をあやすように言った。

「お菓子は機械が作るよ。カステラを焼く機械、クリームを作る機械、バターを塗る機械……。日本の機械は世界で一番。何でも作るよ」

「機械も、ペールの作るおいしいケーキのお手本を真似《まね》して作ってるのよ」

するとペールは灰色の目を哀しそうに天井に向けて、

「人間が、大切に大切に作るから、ペール・バスチーユのケーキはおいしい。だから〈ドゥーブル〉は神戸で一番やった。いまはどこのケーキもおんなじよ。〈ドゥーブル〉も〈ロワール〉も〈清風軒〉も名前が違うだけで、味はおんなじ」

と言った。燎平は何気なく思いついたことを口にした。

「そしたら、新しい手作りケーキの店を出したらいいでしょう。店の名前は〈ペール・バスチーユ〉。一日に売れる分だけしか作らへん、小さなお店ですよ」

だが、調子に乗って無責任なことを言っているような気がして、燎平は慌てて口をつぐんだ。夏子は食べるのをやめて、しばらく考え込んでから、

「ねえ、ペール。ほんとに自分のお店を出したら？　芦屋か御影のどこかに」

ペールは自分の掌《て》を夏子の頬にあてがって、

「夏子、私はもうお爺《じい》さんよ、足は痛いし、血圧も高い。心臓も弱くなった」

と言った。ビールで火照った夏子の頬のところでペールの毛むくじゃらの手の甲《こう》がいつまでもじっとしていた。燎平はじっと視線を注いで、そこに男の手があると、夏子の横顔はなまめかしかった。

デザートの果物を食べ終わって、金子が大きな溜息をつき、腹のあたりをさすった。祐子も布製の大きなナプキンをたたみながら、

「これで、きっとウェストが三センチは太くなったわよ」

とつぶやいた。夏子は贈り物のイアリングを、ペールの前で耳にはめてみせた。精巧な彫り物で飾られた高いついたてでまわりを囲まれていたから、燎平たちのいるところは静かで、そのうえ明かりも強くなかった。小粒な丸い銀を両耳に光らせてぼんやり窓越しに港を見やっている夏子を前にして、燎平はふと自分の恋のことを考えた。夏子が、いやに得体の知れない娘に思えたのであった。しかも自分は、いまのところ夏子の恋の対象ではないことを感じるからでもあった。

以前、金子が、人生で最も心ときめくものは恋であると言ったことがあり、それはある種の共感を燎平にもたらしたのだったが、いま燎平はそのことに対して漠然と反撥を感じた。恋など、ある部分にすぎないのだと思った。もっと大切なものがあるはずだ、もっと大きなことがあるはずだ。夏子の、人目を魅《ひ》く、彫りの深い顔

を見つめて、燎平は大きく溜息をついた。無為《むい》な日々をおくっている気がした。何物かを喪《うしな》いつづけている気がしたのだった。

八時ごろ、みんなは桃香園を出た。燎平と金子と祐子は、センター街の入口のところで夏子たちと別れ、人通りの多い夜の街をゆっくり三ノ宮の駅まで歩いて行った。何やかやと話題は尽きなかったが、妙にひそやかな誕生日の宴だったから、三人もそれぞれ押し黙って、雑踏《ざっとう》の中を歩いた。

燎平も、結構たくさんビールを飲んでいたが、金子の食欲につられて、出た物をほとんど残さず食べたので、いっこうに酔いは廻ってこなかった。彼は歩きながら、ペール・バスチーユの灰色の目を思い浮かべた。この国ではきっと天涯孤独な身であるに違いない老異国人の風貌には、悠揚《ゆうよう》たるところもあったし、寂寞《せきばく》としたものもあったが、燎平は夏子の母が言った「三百人もの人たちの人生を考えてあげる」という言葉を重ね合わせて、ペール・バスチーユの太った体と、片足をひきずって歩いている姿を思った。

「おい、俺はそんなに甘えん坊に見えるか?」

と燎平はふたりに訊いた。

「見える、見える、坊や坊やしてて、可愛らしいよ」

金子が意地悪く言った。

「そうか、やっぱり俺は甘えん坊みたいに見えるのか」

「しかし、最近は、ちょっとしっかりしてきたよ。陽《ひ》に灼《や》けて、色が黒くなったからなァ」

「アホ、色が黒くなったぐらいで、人間までがしっかりしてくるかよォ」

「だいたい、ひとり息子っていうのは、揉《も》まれてないから、一人前になるのに、普通のやつより時間がかかるんや。俺なんか、この歳でこんなにしっかりしてるのは、姉が三人妹三人の真ん中で徹底的に揉まれ抜いて来たからや。家ですき焼きを食べるときなんか、もう血の雨の降る修羅場《しゅらば》をくぐって行くんやぞォ」

「その割に、育つだけ育って、一メートル九十センチか」

「この甘えん坊の燎平と、しっかりしてるけど気の弱い俺とだけでは、我がテニス部をちゃんと運営していくことは出来かねる。そこで知性と品性を誇る星野祐子という名マネージャーがどうしても必要になるわけや」

祐子は立ち停まって、頭上のアーケードを見あげた。しばらくそうやって考えていたが、再び歩きだしながら言った。

「私、ほかにやりたいことがいっぱいあるのよ。映画が好きやから、好きなときに好きなだけ映画を観に行きたいし、英会話もマスターしたいし、旅行にも行きたいし、本も読みたいし……。そんなふうに、自由にしたいから大学に来たのよ」

「いま言うた中には、勉強は入ってなかったなァ」

金子が言うと、

「英会話と本を読むのは、女にとって大切な勉強です」

と祐子がやり返した。

「女の勉強は、料理に、お茶にお華に……」

祐子はうんざりしたように、そんな燎平の言葉をさえぎって、

「うちのお母さんとおんなじこと言うてる。女の勉強は、本を読むことです」

と言った。

「……本？　どんな本や」

「どんな本て、いろんな本よ。スタンダール、フローベール、トルストイ、フィリップ、読みたい本がいっぱいあるのよ」

「よし、わかった」

金子は大声で言って、祐子に覆《おお》いかぶさるようにしながら、

「週に一日、祐子に映画と読書の日を与えようやないか」

と提案した。金子流の粘《ねば》りで、何とか祐子の退部を阻止しようとしているのである。

「いやよ、そんなの。週に一度の映画と読書の日なんて」

祐子がおかしそうに口を押さえたので、金子は顔をしかめて、指先で自分の額を撫《な》で廻しながら、

「頼むよ、テニス部を辞めるなんて言わんといてくれよ。新しい一回生の連中が入って来て、ぎょうさん部員の数は増えたけど、テニス部にとって大事な人間は、そんなにいてないんや。祐子は、大事なメンバーやからなァ」

「テニス部に入る気なんかなかったのに、金子くんに無理矢理頼まれて、私、一年間だけっていう約束で……」

この件に関しては、祐子もいっこうに譲《ゆず》らなかった。

「俺もテニス部を辞めて、これから一生やりつづけていくようなことを、いまから始めてみたいなァ」

燎平は言った。ほんとにそんな気がしたのだった。

「一生やりつづけていくことて、いったい何や」

「そんなこと、いまはわからへん。そやけど、そういうことをみつけるのが、大学というところと違うかなァ。朝から晩までテニスをやっても、べつにプロフェッショナルになるわけでもないし……」

「それやったら、燎平、お前これからペールさんに弟子入りして、フランス菓子の作り方を習ったらどうや。うまいこといったら、夏子と結婚出来るかも知れんぞ」

金子は不機嫌そうに吐き捨てるように言って、それきり口をつぐんでしまった。燎平と祐子は顔を見合わせて、それからそれぞれ黙り込んで足元に目を落としたまま歩を運んだ。

いつもの金子らしくない拗《す》ねた態度が、何やら滑稽でもあり可哀そうでもあった。しばらくして金子はふいに立ち停まり、黒ぶちの眼鏡をずりあげて楽し気な口調で言った。

「そうや燎平、そらええ考えや。お前、大学なんか辞めて、ペールさんに弟子入りして、ケーキ職人になれよ。夏子をものにするには、この方法しかないぞ」

こんどは燎平が不機嫌になって、金子に何を話しかけられても答え返していかなかった。金子はうっぷんを晴らす相手がみつかったとでも思ったのか、いやに執拗《しつよう》に燎平に絡《から》みついてきた。

「燎平、お前には夏子に惚《ほ》れられる材料なんていまのところ何もないやろ？　そやけど、突然何物かに目ざめて、フランス菓子の職人になる決意に燃えた燎平を見たら、夏子は、お前がこれまでの甘ちゃんだけの男と違う、自分の結婚の対象としての男として見るようになるかも知れん。どうや、この俺のアイデアは」

この野郎、馬鹿にしやがってと燎平は思った。急にビールが廻ってきた気がして大きく息を吐くと、何やらむらむらと腹が立ってきた。

「ふたりとも、酔っぱらってるの？　けんかなんかしたらいややよ」

祐子が交互に金子と燎平を見て、心配そうに言った。

「おい、これだけは断わっとくけど、俺はべつに夏子の亭主になりたいなんて、思ってないぞォ。よけいなことを言うたら、なんぼお前でも、ただではおかんからな」

「そやけど、夏子に惚れてることは惚れてるやろ。それも遊び半分やない、顔を合わしたら言いたいことの半分も喋《しやべ》られへんくらい、真剣に惚れてるやろ。そんなに惚れて、それでどうするつもりやねん」

話は祐子の退部問題から遠く外れてしまい、燎平と金子は繁華街の真ん中に立ち停まり、どうでもいいようなことでいがみ合っていた。

「こら、コッテ牛、お前みたいなウドの大木は女になんか惚れたことないやろ」

すると、金子はしばらく燎平をじっと見降ろして、

「俺も、好きな女がおるよ」

と言った。燎平はわざとらしく笑い声をあげ、

「祐子、聞いたか、こいつ口をもぐもぐさせて、俺も、好きな女がおるよ、やて。笑《わろ》たれ、笑たれ。俺も、好きなやつがおるよ、俺も、好きなやつがおるよ」

燎平は金子の真似をして、道端に突っ立ったまま何べんもそう言った。あきれた

ような顔つきで見ている祐子の薄化粧が、雑踏の中で匂いを放っていた。

燎平は金子をからかいながら、金子は、きっとこの祐子を好きなのだろうと思った。これも報《むく》われそうにない金子の恋が、燎平には楽しかった。


半年ほど前から、燎平は両手でラケットを振るようになった。ある日、試みに両手でテニスボールを打ってみると、スピードははるかに落ちたものの、強い回転が加わったからだった。前転も後転も、ラケットを両手でねじ廻すことで、安定して打ち分けることが出来た。

それ以来、仲間の反対を押し切って、燎平はフォアハンドもバックハンドも両手打ちをやり通した。両手打ちに関する限り、身近に適当なコーチはひとりもいなかったから、燎平はそのときそのとき直面する課題を、自分で工夫して改良し、フォームを固めていかなければならなかった。

そのうちだんだん慣れてくると、バックハンドのときだけ両手を使い、フォアサイドに飛んで来たボールには片手で対処するようになった。両手で打ちつづけることで、逆にフォアハンドの場合は片手でも自由に回転を与える打ち方がわかってきたのである。

そして、本当にわかってきたのは、ボールの打ち方だけでなく、試合の勝ち方であった。勝つためには、勝つための方法があったが、燎平は自分の打つ球が、派手な威力はなくとも確実に相手コートに入っていく自信を得たことで、それを会得《えとく》したのだった。強いということと、上手ということとは、別の次元のことであった。勝負に関するかぎり、下手《へた》だから弱いとは言えないところがあった。下手なくせに、なかなか負けてくれない相手がいたが、燎平はそんな選手と試合をするのが好きだった。

風も強かったが、陽差しも強かった。燎平は阪神電車の甲子園で降りて、甲子園球場の横を通って行った。関西選手権が甲子園テニスクラブで開かれていて、きょうは男子シングルスの三回戦が行なわれる。学生も社会人も、出場したい者は誰でも自由に参加出来る大会だったが、有力選手のほとんどが出場してくるので、三回戦あたりから急に選手のレベルが高くなってくる。

燎平はダブルスは二回戦で負けてしまったが、シングルスはまだ勝ち残っていた。一回戦も二回戦も、粘っこいテニスをする大学の選手を負かしてきたので、燎平はきょうの対戦相手である大手の石油会社に勤める社会人選手にも、何となく勝てそうな自信を持っていた。滝口徹という名は聞いたことがなかったし、学生と社会人とでは練習量が違うから、持久力だけでも競《せ》り勝てる自信があったのである。

燎平の大学では、他にもうひとりの選手が勝ち残っていた。一回生の柳田憲二で、高校時代に、関西ジュニアのベスト十六にまで入った選手だった。一メートル六十センチしかなく、骨組みも細く童顔で、笑うと顔中が皺だらけになるので、みんなから最初はモンキーと呼ばれていたが、それがポンキーになり、いつのまにかポンクというあだ名で呼ばれるようになっていた。剽軽《ひょうきん》で、上級生の機嫌を取るのが上手だったが、どこかに油断のならない狡猾《こうかつ》なところがあるような気がして、燎平はあまり好きではなかった。

クラブハウスの入口のところに運営委員たちの坐っている受付があり、そこに顔見知りの他校の選手たちがそれぞれ固まって、缶ジュースを飲んだり、試合前の軽い体操をしたりして時間を待っていた。受付に届けを出してから、燎平は金子の姿を捜した。テニスウェアに着換えたポンクが、金網に凭《もた》れて誰かの試合を見物している姿が目に入ったので、燎平はボストンバッグとラケットを持ったまま近づいて行った。

「こんにちわァ」

ポンクは燎平を見ると、大声で言って頭を下げた。つばの小さい、タオル地の白いテニス帽をポケットから出して頭に載せ、

「金子さん、この試合の審判をやってるんです」

と指差した。試合に負けた選手が、そのコートで行なわれる次の試合の審判をし

なければならない決まりになっていたが、金子はきのうの午前中の二回戦で負けてしまっていたので、燎平はその理由を訊いた。

「あいつ、金子さんの高校のときの友だちで、どっちみち早いとこ負けてしまうに決まってるから審判をやってくれって……」

ポンクが顎で示したのは、やたらに陽に灼けているだけのずんぐりした選手で、打つ球はほとんどがバックアウトするかネットにかけるかで、試合にも何にもならない初心者であるらしかった。

金子は燎平を見ると、審判台の上から手を振って、早く着換えろと促していた。金子が審判をしている試合が終わると、そのコートで、ポンクと神戸のK大の選手との試合が始まるのである。燎平の試合はその隣の四番コートで、始まるまでまだ一時間ほどあるのだが、ひと汗かくくらいに、ラケットの素振りやら、壁打ちやらをやっておいたほうがいいのだった。

「おい、たったの二十五分で終わったぞォ」

金子は審判台から降り、コートの外へ出て来て、首の汗を拭《ふ》いた。

「なんであんなやつが、三回戦まで進めたんや？」

金子の高校時代の友人だという選手のうしろ姿を振り返って燎平は訊いた。

「一回戦は不戦勝、二回戦も不戦勝。何にもせんと、三回戦まで来よったんや。とにかくテニスを始めて、まだ三ヵ月やからなァ」

燎平が着換えて出てくると、ポンクの試合が始まっていた。

ポンクは体が小さかったが、ボールに独特の威力があった。ボールを引きつけて、押さえ込むような打ち方をするので、着地してから滑って行くのだった。ここに来たら確実に決めてみせるという一球があって、その時のラケットさばきには凄《すご》みがあった。コートに立つと、いかにも試合慣れしている雰囲気が、その小柄な体に漂《ただよ》った。長いラリーがつづくと、ポンクは相手を揶揄《やゆ》するように、ボールを打ち返しながら、

「さあ、来い。さあ、来い」

と叫んだ。優勢のときも劣勢のときも、ポンクの口からはその言葉が吐き出された。

ポンクという人間は嫌いだったが、燎平は、さあ、来いと叫んでコートを小股《こまた》で走り廻っているときのポンクの目が好きだった。自分もあんな目をしたいと思うときがしばしばあった。

どんな大会でも、三回戦ぐらいになると、ボールの飛び方がそれまでの試合とは違って見えるようになるのだが、それは選手の力量がある一定のレベルを超えてくるためであることに燎平は気づいた。

ポンクの対戦相手も、そんなに特徴のあるテニスではなかったが、よく見ると攻め方にひとつの方式を持っていた。粘って粘って粘りぬいて、ポンクが詰めて来る一瞬前のボールで、先にネットに出てしまうのである。攻守はそこで微妙に入れ代わって、ポンクは攻め込んだはずなのに守らなくてはならなくなるのだった。

第一セット、四—二とリードしたポンクは四—四に追いつかれてから戦法を変えた。徹底的に守りに転じてみせた。さあ、来い、さあ、来いという言葉は、さっきと同じ調子でポンクの口から吐き出されていたが、ボールはまったく質を変えて、伸びのない死んだ球が、緩《ゆる》く高く深く、相手のコートに打ち返されていた。

五月の太陽が、ポンクの真っ白な帽子を照らしていた。燎平はベンチに坐って、ポンクという人間のしたたかさを見つめていた。一度試合の流れに乗ってしまったら、少しばかりの意志や技量では、その流れを変えることなど出来ないはずだったが、ポンクはこともなげにやってのけるのである。

ポンクはひとつの試合の中で、何度でも死んだふりをしてみせたし、また何度でも生き返ってみせることが出来るのであった。それが、ポンクの貧弱な小さな体を、あるときは小生意気に、あるときは豪胆に見せるのだった。

受付に坐っている大会役員が燎平の名と対戦相手の名を呼び出していた。金子が目くばせしてからコートの中に入って行った。前の試合で荒れたコートにブラシをかけるためだった。ポンクは燎平を見てにやっと笑ったが、相手がサーブの構えに入ったので顔をひきしめて腰をかがめた。

燎平は受付でボールを二個貰《もら》うと、ラケットとバスタオルと水筒を持ってコートに入った。すぐうしろから対戦相手である滝口という男がついて来た。テニスの選手というより、登山家のような顔つきをしていた。ピッケルを持って、大きなリュックをかついだら、ぴったりさまになるような体つきでもあった。

「ぼくのほうにはボール拾いはいないんですが、そちらでよろしくおねがいします」

滝口はネットのところに立っていた金子にそう言って、腕をぐるぐる廻した。太《ふと》腿《もも》とふくらはぎがいやに太くて、燎平は何となく威圧されるような思いだった。

ウォーミングアップに五、六球打ち合ったとき、燎平は体のどこかがすくんできた。滝口の打ってくるような球を、燎平はかつて一度も受けたことがなかった。スピードはなかったが、重い鉄の球みたいなやつが、ラインぎりぎりに入ってくるのである。ラケットの真ん中に当てないと、絶対に打ち返すことの出来ない球であった。

「燎平、粘れよ。ネットの一メートルぐらい上を狙《ねら》って、おもいっきりボールを落としていけ」

金子が言った。燎平は金子に時間を訊いた。十二時半だった。燎平はテニスシューズの紐《ひも》をしめ直して、

「きょうは、のんびり夕方までやるぞォ」

とつぶやいた。自分にそう言ってみたのだった。

ふと金網のところに目をやると、祐子や石原や鶴永や一回生の新入部員たちが立っていた。ふた手に分かれて、ポンクの試合と燎平の試合の応援をするつもりらしかった。一回生たちは、ポンクがエースを決めると大きな歓声をあげ、派手に拍手をした。相手がミスをしても同じように騒ぎたてた。相手の応援団も、まったく同じやり方で応酬《おうしゅう》したから、コートの外は騒然としていたが、コートの中ではボールを打つ音と足音がある秩序を保って響き合っていた。さあ、来い、さあ、来いというポンクの声が、不思議なしずけさをそこにもたらしていた。

燎平のサーブで試合は始まった。太陽は真上にあり、ちぎれ雲が浮いていた。長丁場になる気がしたので、燎平は慎重に滝口のバックを狙った。滝口のバックハンドはよくスライスのかかった伸びのあるボールだった。滝口もまた燎平のバックにボールを集めて来た。燎平は両手でおもいっきりトップスピンをかけて、出来るだけ深い球でつないでいこうとした。滝口も、両手打ちの選手を相手にするのは初めてらしく、やりづらそうに慎重に打ち返していた。

滝口がネットについたので、燎平は相手のバックめがけて高いロブをあげた。いいロブだったが、滝口はジャンピングスマッシュを燎平のフォアに叩き込んできた。次に滝口が前に出てきたとき、燎平は体の正面めがけて強い球をぶつけた。打ちづらそうではあったが、滝口は落ち着いた体の動きで、右サイドに早いボレーを決めてきた。一枚も二枚も上の相手であることに、燎平ははっきりと気づいた。

隣のコートを見ると、ポンクは再び戦法を変え、粘り合いをやめて積極的にネットに出ているようだった。味方の応援団にも活気があったから、ポンクが大きくリードしているらしいことはわかった。三ゲームたてつづけに取られて、燎平はコートチェンジの際ベンチに坐って汗を拭いた。

「ボールが浅いぞ。こわごわ打ってるからや。燎平の打ち方は、もっとやけくそになったほうがええんや」

と金子が耳元でささやいた。

「きょうは夕方までやるんや。先は長いよ」

「こんな調子で相手に好きなようにボレーさせてたら、一時間ももてへんぞォ」

「そのうち、あいつもばててくるやろ」

こんなときポンクだったらどうするだろうかと燎平は思った。燎平はネットプレーに自信がなかったから、ここはひとつ壁みたいに、じっと相手の球を打ち返しかないと腹を決めた。自分からは、ただの一球もミスをしてはいけないのである。

祐子たちのいる場所とは反対側の金網に凭れて、誰かがしきりに手を振っていた。

金子は目を細めて見つめていたが、やがて、

「おい、夏子や。燎平、エンジン全開やぞォ」

と声を忍《しの》ばせて叫んだ。燎平は金網のところに走って行き、

「こんな試合を、わざわざ観に来るなよ。こてんこてんに負けてるのに」

と夏子に言った。

「もう終わりそう？」

「いま始まったばっかりや」

「ねえ、急いでるのよ。早いとこ終わってよ」

「夕方までやるんや。俺はいまから壁になる」

滝口も汗を拭き、ラケットのグリップの汗をタオルでぬぐい取って、燎平を待っていた。

「ペールが車で待ってるのよ」

「冗談言うなよ。俺はいま試合中やぞォ。用事があるんやったら、終わるまで待っとくんやなァ。絶対に長引かせてみせるから……」

「ファイト満々やね」

「そうや、俺は根性があるんや」

夏子はおかしそうに口を押さえて、小走りで車を停めてある場所のほうへ戻って行った。

「シツレイ」

燎平はコートに戻り、大声で滝口に一礼した。

安定したテニスだったが、ときおり滝口はとんでもないミスをするときがあった。バウンドの低いボールの処理が苦手なのか、それともきょうに限って調子が悪いのかはわからなかったが、膝から下の球を打ち返すときに、大きくバックラインを越えるのである。燎平は出来るだけバウンドを殺す打ち方を試みるようにした。体を柔らかくして、ボールに逆回転をかけた。壁になるには、そのほうがらくでもあった。だがどうしても取らなくてはならないポイントになると、滝口はまぐれではないかと思えるほどに鮮やかなボールを、コートの隅に鋭角に打ち込んで来た。滝口が、やはり強い選手である証拠だった。

燎平は拾いまくったが、結局ずるずるとゲームを取られてしまった。試合の終わったポンクが、汗みずくになって燎平のコートの脇に立っていた。

「勝ったか？」

燎平は訊いた。

「はい」

「俺は負けてるんや」

「そうみたいですねえ」

「どうしたらええ？」

「格が違います」

「絶望的やろか」

ポンクは、さあというふうに首をかしげて笑った。汗が顎からしたたっていた。燎平も自分の顎からしたたり落ちている汗が、コートの土にしみ込んでいくのを見つめた。それからフォームが乱れないように注意しながら力いっぱいスライスのかかったサーブを打った。ポンクの応援をしていた連中が、みんな燎平の応援にまわったから、急ににぎやかになった。滝口を応援する者は誰もいなかった。多くの仲間の声援の中で、燎平はなす術《すべ》もなく負けた。

試合が終わったとき、夏子は嬉しそうに飛びはねて手を叩いた。ゲームのスコアを運営委員に報告してから、缶ジュースを飲んでいる滝口のところへ行き、燎平は声をかけた。

「もうどうしたらええのか、ぜんぜんわかりませんでした」

滝口はバスタオルを頭にかぶり、初めて笑顔を見せた。

「途中で持久戦にもち込もうとしただろう？」

「ええ」

「なぜやめたんだい。あれをやられるのが、いちばんいやなんだよ、俺みたいな社会人選手はね」

「……はあ」

「粘るんなら、とことん粘るんだよ。テニスなんて、途中でどう流れが変わるかわからないよ。ある瞬間、突然ボールが入らなくなる。どんな選手でも、そんなときが必ず来るんだ。ひとつの試合で、一回か二回はそんな状態になる。それを待つんだ。待っているあいだに、強くなっていくんだよ」

「滝口さんはどこのOBですか？」

滝口は東京の私大の名を言った。それから、

「君のボール、おもしろいよ。初めは面くらって、タイミングが狂っちゃった。もう二、三年したら、強い選手になるよ。ネットプレーをうんと練習するんだな」

それから、と滝口は言葉をついで、

「テニスはサーブだ」

と言った。まだ噴き出ている汗をぬぐうと、缶ジュースを飲みながら控室《ひかえしつ》のほうへ去って行った。

燎平たちはテニスコートの外の木陰で円陣を組んでミーティングを済ませると、服を着換えて、クラブハウスの前に行った。ポンクたち一年生は、これから梅田へ出てパチンコをするつもりらしかった。金子は行きつけのテニス用品店へガットの張り替えをしてもらいに行くと言った。祐子も久しぶりに映画でも観ようかなと、日の明るいうちに自由時間が得られたことで、表情がはなやかになっていた。

燎平は夏子の姿を捜した。さっきまで金網に凭れて燎平の試合を見物していたのに、どこに行ったのか見当たらなかった。

「夏子、どこに行ったのかな」

「もう帰ったんと違うか」

金子があたりを見渡して言った。

「何しに来よったんやろ。わざわざ試合を観に来たんやろか。俺、ちょっと捜してみるから、先に帰ってくれ」

燎平は甲子園球場と反対側の、住宅の建ち並ぶ道を歩いて行った。歩いていると、向こうから夏子の車が近づいて来た。ペールが車の窓から顔を出して笑った。

「俺を待ってくれてたの？」

「そうよ。夕方までやるなんて言うから、ペールにそう言ったら、じゃあ夕方まで待とうって」

「ほんまに夕方までやるつもりやったんや」

「そのわりに、あっさり終わったわね」

「俺は人間が淡泊やからな」

うしろからトラックがやって来たので、燎平は慌てて夏子の車に乗った。夏子は球場の横を通って広い国道に出た。

「燎平は淡泊なことないわよ」

「そうかなあ」

「そうよ。ほんとはねェ、ものすごくしつっこいのよ。私、きっと夕方まで試合をやるやろなァと思って、覚悟してたのよ」

「いや、俺はやっぱりしつこくなんかないよ。淡泊な、砂みたいな人間や」

燎平は、自分のことをしつこい人間だと言われたのは初めてであった。自分のどこを捜しても、そんな部分はひとかけらも見当たらないような気がしたが、夏子は頑固に言い張って譲らなかった。そんなふうに言われると、言葉どおり、壁と化して日が暮れるまで滝口の球を返しつづけられなかったことが恥かしかった。自分は上手にはなれても、ついに強くなれないまま終わってしまう人間ではないかと思った。

「しつこいのは、金子のやつや。あいつのしつこいのには、もううんざりするぞ

「金子くんのほうが、よっぽど淡泊よ。何がしつこいって、燎平のしつっこさは凄いのよ」

「……へえ、そうかなァ」

夏子の口ぶりには少しも非難じみたところがなく、逆にそれが燎平の長所でもあるように言うのだった。

車内にたち込める夏子の匂いが試合に負けたあとのけだるさをあおってきた。燎平は無言で、運転席の夏子の、背すじを伸ばしたうしろ姿を見つめた。燎平は夏子の体にさわってみたかった。ペールが助手席に坐っていなかったら、本当にそうしたかも知れなかった。後部座席から身を乗り出して、斜め前の夏子の胸やら、金色のブレスレットをはめた腕やら、太腿のあたりやらに目を走らせた。

「そんなことより、俺に何の用事があるの？」

「燎平がこのあいだ言ったこと、実行するかも知れへんの」

「このあいだ言ったことて何？」

「ペールが自分のお店を持つこと……」

「……へえ」

ペールがうしろを振り向いて、困ったというふうに首を振った。

「芦屋川《あしやがわ》をのぼったところにマンションが出来て、一階に小さな店舗《てんぽ》が一軒だけ空いてるの。お菓子のお店を開くのには絶好の場所よ。私もお母さんも大賛成やのに、ペールは尻ごみしてるのよ。見るだけでも見てみたらって、つれて来たのよ」

「なんで俺をつれて行くんや？」

「〈ペール・バスチーユ〉って店の名前まで考えてくれたんやから、それぐらいの責任はあるでしょう？」

「そんな、冗談を言うなよ。俺はその場かぎりの思いつきを、ぽろっと口にしただけやないか」

「燎平の思いつきで、みんながその気になったの。俺は知らんでは済まへんわよ」

「ちょっと待ってくれよォ」

「私も、ちょっと待って欲しいよ」

ペールは丸い体をすくませて、大袈裟に哀願するように言った。

「みんなには悪いけど、私は自分の国に帰るよ」

灰色の目が、運転をしている夏子を見つめた。夏子は道を右折し、芦屋川沿いの道に車を停めた。それからきつい表情でペールに言った。

「いやよ、帰さへんから」

ペールと夏子は狭い車の中で長いあいだ、互いの顔を見つめ合っていた。

「パリへ帰って、それでどうするの？　たったひとりきりでしょう。日本にいたら、私もお母さんも傍にいてる。ペールがうんと歳をとって動かれへんようになっても、私が何から何までちゃんと世話をしてあげる」

「結婚して子供が生まれたら、私のことが邪魔になってくるよ。それがあたりまえよ」

「邪魔になんかなるはずがないわ。お父さんが生きてるとき、私に言ったことがあるの。ペールは毎日毎日、パリへ帰ろうか日本に骨を埋めようか迷ってる。どうするかはペールの自由やけど、寂しい思いだけはさせたくない。俺とペールは兄弟以上やからって」

ペールはしばらく黙り込んでいたが、きょうは暑いねとひとりごとのように言って、芦屋川の浅い流れに目をやった。それから、

「清が、こんなに早く死んでしまうとは思わなかったよ」

と言った。

燎平は、夏子がどう考えようと、ペールはパリへ帰るのが本当だという気がした。誰人《たれびと》にとっても、祖国とは巨大な安息の地であるように思えた。

夏子が目的の場所に向かって車を発進させようとしたとき、ペールがその大きな掌で夏子の肩を抱いて、

「きょうは私の家に行こうよ。お茶を飲んでゆっくり話をしよう」

となだめるような口調でささやいた。

「そしたら、僕は失礼します。とにかく負け戦のあとやから、ぐったりして、しんどいんや」

燎平が車から降りようとすると、ペールが助手席から振り返って押しとどめた。そして燎平にも一緒に来るように誘った。

「おいしいクレープを焼いてあげるよ。ビールも冷蔵庫にたくさん入ってる。ドイツ人に貰ったソーセージもあるよ」

夏子が怒ったような目で燎平をバックミラーから睨みつけていた。帰れと言っているふうにも取れたし、帰るなという意味にも取れた。

「なんで睨んでるの？」

「調子に乗って酔っぱらったらいややよって言ってるのよ」

「俺は調子になんか乗らへんよ」

「調子に乗るわよ」

燎平はむっとして、半分開きかけたドアを閉めた。よしそれなら意地でも帰るものかと思った。自分は一度も夏子に対して、調子に乗って思いあがった態度に出たことはないではないか。調子に乗って生意気な態度をとるのは、いつも夏子のほうだ。

「調子に乗ってるのは夏子やないか」

「あら！」

夏子はハンドルを両手で握ったまま、後部座席の燎平に顔を向けた。

「それ、どういう意味？」

「人が試合をしてるときに勝手に押しかけて、さんざん気を散らして、調子に乗るなとは何ちゅう言い草や。いっつも、いっつも俺に対しては失礼なことばっかりしてるぞォ。女のくせに生意気や。あんまり調子に乗ってほしないよ」

「試合に負けたのは燎平が弱いからよ。私のせいとは違うわ。それに私の来たのが迷惑やったら、のこのこ車に乗ってこなかったらいいでしょう」

「のこのことは何や。……よし、俺はもう金輪際《こんりんざい》、夏子の車には乗れへんからな」

燎平がボストンバッグとラケットをもって車から降りようとすると、ペールが早口のフランス語で何か言った。

「はあ？」

燎平は訊き返した。ペールが笑って言った。

「愚かなのは女とケンカする男っていうことよ」

「行くの、行かへんの？　私はべつにどっちでもいいのよ」

「……行く。いまいちばん欲しいのは、ビールとソーセージや。本場ドイツのソーセージはうまいやろうなァ」

燎平はわざと明るい口調でいったが、私はべつにどっちでもいいのよと意地悪く言い放った夏子に憎《にく》しみを抱いた。確かにそのとおりなのだろうと思ったのである。

車は阪神国道に出て、神戸のほうへ走った。阪急の岡本駅の横の道を山側へのぼり、静かな住宅地の中の四つ角を何度も右に左に曲がった。木造の小さな二階建ての前で車を停めると、

「ペール、窓をあけたままよ」

夏子がサイドブレーキを掛けてから言った。二階の、海に面した大窓があいたままになっていた。その窓のまわりにだけ蔦《つた》が繁って、夕暮前の光が斜めに差し込んでいる。

「古い建物やなァ」

と燎平が言うと、

「もう十七年も住んでるよ」

ペールはそう言ってズボンのポケットをまさぐり、幾つもの鍵《かぎ》のついたキーホルダーを出した。

「とんがり屋根で、いなかの教会みたいや」

「昔は教会やったのよ。戦争中は空き家になってたのを、お父さんがペールの家にしようって借りたの」

「へえ、借家か」

夏子は隣の煉瓦塀《れんがべい》の家を指差し、

「このお宅が家主さん。お爺さんが敬虔《けいけん》なカソリック。外人はみんな熱心な信者やと思い込んでるのよ。それでペールに貸してくれたの」

玄関を入ると板張りの広間があり、昔は礼拝室になっていたことを示すように、奥に祭壇の跡があった。ペールはそこに中国製の絨緞《じゅうたん》を飾り、その下に大きなパネルヒーターを置いていた。一階は広間だけで、二階が寝室と洗面所、それに風呂場があり、小さな台所がつづいていた。床は歩くたびに音をたてたし、ドアというドアはどれも開け閉めが難しく、力を入れすぎるとまわりの漆喰《しっくい》の壁が落ちてしまいそうな具合だった。

「小さな教会やったんやなァ」

燎平は夏子と一緒にペールの寝室に入った。あけはなたれた窓から海が見えた。レースのカーテンが風になびいて、天井の高い部屋に薄い影を走らせていた。ベッドと籐製《とうせい》の椅子以外、何もない部屋だった。

夏子はペールのベッドに腹這《ば》いになって横たわり、頬杖をついて、窓の外に視線を向けていた。薄いワンピースが、体の線を露《あら》わに見せていたから、燎平はベッドの横の椅子に坐って、そんな夏子の体に落ちた幾何学模様の影を追った。

「高校生のとき、学校が退《ひ》けてから、よくこのベッドでお昼寝したのよ。私、合鍵をペールに内緒で作って持ってたの」

「いまも持ってるんやろ」

夏子は顔をあげて、燎平を見た。ペールが台所で冷蔵庫を閉める音を聞いてから、夏子はそっと頷いた。

「内緒よ」

「ここで何をしてるねん?」

夏子はそれには答えず、あいまいな微笑を浮かべて、自分の顔にへばりついてきたカーテンをはらった。

「そんなにしょっちゅうと違う……。ほんのときどきね」

「授業にも出んと、毎日何をしてるんかなァ?」

「燎平もテニスばっかりして、授業にはぜんぜん出てないんでしょう」

「フランス語と、美学美術史と、心理学を落とした」

夏子はベッドから起きあがり、窓のところへ行って、カーテンをくぐった。するとそれまで何もないと思われていた窓ぎわの壁に葉書大の写真が額に入れられて掛かっているのが見えた。

「私、もう大学なんてどうでもいいわ。辞めてしまうかも知れへん」

「辞めてどうするんや」

「お父さんが死んで、いままで自分の楽しみやったことが、全部つまらなくなったの。自分が男やったらええのになあって思うのよ」

「ちょっとメランコリーになってるんや」

「うん、そうよ。結婚して、子供を産んで、ほかに少々の生きがいや楽しみがあっても、たったそれだけのことでしょう？　何のために生きてるのかわかれへん」

「そやけど、夏子は女やからな」

次の燎平の言葉を待つように、夏子は振り返った。生意気であろうと、傲慢《ごうまん》であろうと、そんなことはすべて帳消しになってしまうほど、遠くの海を背にして窓辺からこちらを見つめている夏子は美しかった。

「結婚したら旦那のことが大事になるし、子供に夢中になるよ。そういうふうに出来てるんや」

ペールが盆にビールと大きなジョッキとソーセージ、それに夏子のためにティーポットを持って来た。

「喉《のど》が渇いたから、ビールを飲むよ。それからクレープを焼いてあげる。ちょっと待って下さいね」

ペールはビールの栓《せん》を抜いてジョッキに注ぐと、燎平にも勝手に飲むようにすすめてから、うまそうに半分ほどあおった。鼻の先についた泡をハンカチで拭き取って、それからナイフでソーセージを丸く切り取りながら言った。

「私、日本で三人の女の人に恋をしたね。三人とも、五年ずつつづいたよ」

ペールは烈《はげ》しい身ぶりで、まどろこしそうに話した。日本語ではどうしても適切な言葉がみつからないときは、あきらめてそこだけ早口のフランス語で喋ったから、燎平にも夏子にも、ペールの言おうとしていることのあらまししか理解出来なかった。わかったのは、もし日本の女とのあいだに自分の子供が出来ていたら、ペールは一生を日本で暮らすつもりだったということだった。

「子供が欲しかったのよ」

とペールは笑った。まるで、子供が欲しいばっかりに、三人の日本女性とそれぞれ関係をもったと言わんばかりに、彼は何度もその言葉を繰り返した。

「私、十九歳のときに結婚した。子供がひとりいたけど、すぐに別れたのよ」

夏子は初めて知ったらしく、顔を上げて目を瞠《みひら》いた。

「清にも言わなかった。その子はいまは郵便局で働いて、子供が四人いるよ。私の孫たちね。みんなパリに住んでる」

陽が落ちて部屋の中が暗くなった。燎平はドアのところに立っていって、スイッチを押した。灯がはいると、部屋の中が白々と光って見えた。空腹のところに、ジョッキに二杯もビールを飲んだので、息が少し荒くなっていた。

「どうして奥さんと別れたの？」

と夏子が訊いた。

「妻が、ほかの人を好きになったからね」

四十五年も昔のことだが、いまでも自分は妻を憎んでいるとペールは言った。そして、だからこそ、自分は自分の祖国へ帰りたいのだという意味あいの言葉をつけ足した。

「そんな寂しいところへ、わざわざ帰って行くことはないでしょう」

ベッドカバーの上を撫で廻しながら、夏子は元気のない口調でつぶやいた。

「妹がパリにいる。もうお婆さんになったね。その妹から手紙が来て、彼女が死んだことを教えてくれたね。清が死んだ日とおんなじぐらいにね」

彼女というのは、ペールの別れた妻のことで、それ以後新しい夫とのあいだに子供を四人産んで、平凡な人生をおくったらしいとペールはつづけた。決して充分ではない日本語の中から、彼は懸命に言葉を選び出して言った。

「清と彼女が、おんなじころに死んだ。それで私は考えたよ。いちばん大切なのは、自分の……」

ペールはそこで言葉に詰まった。長いあいだ、天井を見あげたり床に目を落としたりして考えていたが、やがて、

「人間は、自分の命が、いちばん大切よ」

と言った。命と言うとき、ペールは両手で自分の胸を抱くようにした。話はきれぎれだったし、わかりにくい部分も多かったが、燎平にはペールが自分たちに伝えようとしているものが何であるかが、おぼろげにわかる気がした。

ペールはそこで話題を変えて、生まれ育ったパリの街の景観を、つとめて陽気な身振りで語って聞かせた。パリの朝、パリの雨、働く人たち、石畳を走って行く犬、アカシアの花、マロニエの木陰、夕暮に染まる路地裏……。

「ねえ、ペール。いつクレープを焼いてくれるの?」

夏子がそう言うまで、ペールは喋りつづけたのである。

ペールが台所に姿を消したので、燎平もあいたままになっている窓の傍に行って、壁に掛かった小さな額の中の写真に見入った。セピア色の写真には、男の子と女の子が、大きなソファに腰かけていた。

「ペールと、ペールの妹よ。十歳のときの写真で、子供のころのはそれ一枚きりしかないって言ってたわ。ペール、そのころと少しも変わってないでしょう。眉毛の

格好とか、口元とか……」

「夏子、もうあきらめたほうがええよ」

と燎平は写真を見つめたまま言った。ペールの帰国の意志がいかに強いものであるかを知ったからであった。夏子が何も喋らないので振り返ると、夏子は椅子に坐ってうなだれていた。涙ぐんでいるように見えたので、燎平は窓をしめて、

「あっ、泣いてる、泣いてる。ざまあみやがれ。生意気なうさぎが泣いてるぞォ」

と言った。

顔をあげた夏子の目が本当に濡れていたので、燎平はびっくりして口をつぐんだ。その瞬間、燎平はなぜか、これまで何度も何度も、夏子の泣き顔を見てきたような気がした。とても懐《なつか》しいものを見た思いに駆られて、不思議な幸福感に包まれた。

「私ねえ、もう決めてたの。ペールにお菓子の作り方を教えてもらって、本当に〈ペール・バスチーユ〉ってお店をこしらえていこうと思ったのよ。お母さんが社長やて言うても、名前ばっかりで、〈ドゥーブル〉は伯父さんのものになってしまってるから、これからますます大量生産のケーキメーカーになってしまうわ。お父さんの望んでたこととは、まるっきり違う方向に行ってしまうから……」

「夏子、菓子職人になるつもりやったんか？」

燎平は驚いて訊いた。

「そうよ。……おかしい？」

「夏子に、そんな辛《つら》い修業が出来るかよ。そんなの、夏子のきまぐれや。すぐにわがままが出て来て、やめてしまうよ。夏子は、〈ドゥーブル〉のお嬢さんで、毎日ショッピングのこととか新しい服のこととか、旅行のこととかを考えてたらええんや。どこそこのアンミツがうまいとか、どこそこの美容院が上手やとか、どこそこの男に誘われたとか」

そして大学を卒業したら、金持ちの男と結婚して、あっというまに子供を二、三人産んで、目尻に皺が出来て……。それが夏子にいちばんふさわしい生き方ではないかと、燎平は本気で思ってしまった。自分の腕の中に、何も身につけていない夏子を抱き入れたいという烈しい思いとは別に、燎平はそんなふうに考えたのだった。そんなふうに考えたくせに、彼は夏子が自分とは無縁の幸福の中に入って行くことを思うと、胸が苦しくなった。

ペールが焼きあがったクレープを皿に載せて寝室に戻って来、夏子の泣いた跡の残る顔を見つめた。ペールは皿をテーブルに置き、立ったまま、坐っている夏子の体を抱いた。パリへ帰る老いたフランス人は泣いた。

「夏子、私の娘、こんなに小さいときから知ってるね」

ペールは鼻を真っ赤にして、そう言った。

別れしな、ペールは自分の指から銀製の指輪を外して燎平にくれた。中央に一房の葡萄《ぶどう》を彫り込んだ重い指輪であった。燎平には太すぎて、どの指にはめても抜け落ちそうになったから、彼はハンカチに包んで、それをズボンのポケットにしまい、家に帰り着くまで掌で握りしめていた。

例年になく湿気の少ない六月の末であった。燎平たちの大学の庭球部は、ことしから横浜にあるY大とのあいだで、年に一回定期戦を行なうことになり、六月二十五日に新幹線で来阪するY大庭球部の選手たちを新大阪駅に迎えた。来年は、燎平たちが横浜へ行き、その次の年はY大がやって来るというふうに、毎年交代で定期戦をつづけて行くことに決まったのである。

その夜は、キャプテンはキャプテンの家に、マネージャーはマネージャーの家にという形で、それぞれの選手たちが一泊し、あくる日の二十六日に試合が行なわれた。

試合の日は、ペール・バスチーユがフランスに帰って行く日でもあった。ペールは十七年前、夏子の父である佐野清とともに、船で神戸までやって来たのであったが、帰路もまた船で行くことを望んで譲らなかった。

戦後まもないころと違って、いまは約三十日ばかりでマルセーユ港に着くのだが、夏子も夏子の母も、ペールの健康を気遣って飛行機で帰るようすすめた。ペールは、香港やマニラやコロンボやボンベイなどの東洋の港をめぐり、それからインド洋、紅海、スエズ運河、地中海と、しだいしだいに祖国に近づいて行きたいのだと言った。燎平はそのことを、電話で夏子の口から聞いた。

ペールの家で、一緒にビールを飲んで以来、燎平は一度も老フランス人と顔を合わせる機会がなかった。燎平は何としても、ペールを神戸港まで見送りに行きたかったが、試合の日と重なって果たすことが出来なかった。

晴れてはいたが雲が多く、コートの上に落ちた陽光はしばしば黒く翳《かげ》った。午前中のダブルス三試合は二対一でY大が優勢だったが、昼からのシングルスは金子とポンクがそれぞれ勝って三対二の接戦になった。燎平の相手はY大の副キャプテンで、切れ味のいいテニスをする長身の選手だった。

「相手はタッチのええテニスやから、こっちはもっさりと百姓テニスで行こう」

と金子が燎平に耳打ちした。燎平は屈伸《くっしん》運動を繰り返しながら試合の始まるのを待った。待っているあいだ、燎平はペールの灰色の目や尖《とが》った鼻や、肉の盛りあがった丸い肩などを思い浮かべた。ペールと逢ったのはたった二回だけだったが、その声や容姿は、不思議に燎平の心から消えていかなかった。

ペールが話してくれた、パリの夜明けの薄紫色の霧が、雑踏を歩いている燎平を包み込んで来たりした。しかし、ペールが燎平に与えたものの中で、最も大きかったのは、「人間は自分の命がいちばん大切だ」というひとことであった。燎平は何度もその言葉を反芻《はんすう》した。

異国で、自分の人生にとって大きな役割を果したと思われるふたりの人間の死に、ほとんど同じ時期に遭遇した男の言葉であった。燎平は、もう二度と逢うことのないであろう老フランス人の、うまそうにビールのジョッキをあおっている姿を心に描いた。そして、「人間は自分の命がいちばん大切だ」と胸の内でつぶやいてみた。だが、命とは、本当はいったい何物であるのか、燎平にはわからなかった。

対戦相手が先にコートに入って待っていた。燎平は金子に時間を訊いた。二時二十分だった。ペールの乗ったフランス郵船の客船が、マルセーユ港に向けて出発する時刻だった。燎平は、テニスシューズの底にこびりついた土をラケットのフレームで叩き落としながら、いま神戸港の岸壁にたたずんで、夏子はまた泣いているだろうと思った。

6

誰かの階段を駈《か》け降りて行く声が聞こえたが、それきりしんとしてしまって、三階の小教室にひとり坐り込んでいる燎平は、ためらったり耳を澄ましたりしながら、眩《まぶ》しい窓の外を見ていた。

大きなくすの木が繁り、微風にそよいでさまざまな色あいの緑を放つ無数の葉が、遠くのグラウンドの黄塵《こうじん》を白く光らせてくる。新しく建った図書館の屋根の隅には、落ちたくすの木の葉がひからびて溜《た》まっている。屋根越しにアスファルトの長い坂道が見え、帰って行く学生たちのうしろ姿に傾きかけた陽《ひ》が張りついている。

アスファルト道の東側は谷のように落ち込んで、雑草やら灌木《かんぼく》やらが広範囲に繁殖し、そのずっと下方に真新しい体育館のコンクリート壁がつづいている。道の西側は低い崖《がけ》で頭上にフェンスが張ってあり、体育会系のクラブの部室が建てられている。夕刻、アスファルト道を行くと、頭の上のグラウンドから、ボールを蹴《け》る音や歓声やホイッスルの音が聞こえてくる。風の強い日は、砂塵が頭上から降ってくるのである。

燎平は耳を澄ましながら、谷とグラウンドとに挟《はさ》まれたアスファルトの坂道に目を凝《こ》らしていた。もし安斎克己が教室にやってこず、そのまま帰って行くことがあれば、あとを追いかけて行くつもりだった。

年の初めに病院を退院した安斎が、自宅での療養を終えて復学して来ることを、燎平はきょう金子から聞いたばかりだった。燎平の予感が正しければ、安斎は月曜日の四時限目にドイツ語の授業を取っているはずで、この三階の小教室にやってこなければならない。たまたま講師の急病で休講になっていたが、燎平は安斎がそれとは知らず講義を受けるために、この教室に顔を出すだろうと考えたのだった。なにも教室で待たなくても、一階のピロティとか、坂道からつづく正面の階段に坐っていれば安斎と逢《あ》えるはずだったが、燎平は誰もいない教室で待ち受けて、驚かせてやりたかった。

燎平はグラウンドの隅の、テニスコートに目をやった。サーヴィスの練習をしている金子と三宅の動きが見え、それぞれの持ち場でボール拾いをしているポンクや祐子や石原や、一年生たちの豆粒みたいな姿も眺められた。

女子学生の笑い声が遠くで響いたが、その他に教室に近づいてくる物音は聞こえなかった。それなのに、うしろのドアが開いてそうっと首だけのぞかせた学生がいた。燎平は、それが安斎克己であることに、しばらく気づかなかった。安斎はふたまわりほど太って、頭髪も短く切り揃《そろ》えていた。

「きょうは、ドイツ語、休講やでェ」

「……燎平やないか」

「遅いなァ。ここで、ずっと待ってたんやぞォ」

「へえ、……燎平、俺を待っててくれたん？」

安斎は燎平の坐っているところまで来て笑った。屈託《くったく》のない笑い顔だった。燎平は嬉しくなって、おどけた仕草で、よう、ようと叫びながら安斎の肩とか胸を叩いた。安斎も同じ動作で応じてから椅子《いす》に腰を降ろした。

「きょ年の夏、金子と一緒に病院へ行ったんやけど、面会を断わられたんや。それでずっと遠慮して、見舞いにも行けへんかった」

「うん、おととい、金子から電話をもろて、全部聞いたよ」

「悪魔は去ったか？」

「去りはせえへんけど、なんとか自分の中で飼い馴《な》らしかけてるとこやなァ」

安斎はそんな言い方をして、教室をぐるっと見廻し、

「ここ、涼しいて気持がええなァ」

と言った。

七月に入って、急に学生の数が減った。十日からの夏休みを待ちあぐねて、もうアルバイトを始めたものが多いのであった。ちょうど一年間、安斎は休学していて、学年末の試験も受けていなかったので、もう一度一回生から始めなければならないのである。

ふたりは教室を出て階段を降り、校舎の裏側の坂道をのぼって学生食堂へ行った。安斎はすれちがう女子学生たちを振り返りながら、

「美人が増えたなァ」

と楽しそうに言った。

「学生の数も倍になったから、急ににぎやかになったよ。これでも夏休み前やから、いつもより少ないんや」

そう言って、燎平は歩きながら安斎の表情を見つめた。血色も良くなり、肉づきも良くなった安斎の顔は、それでも高校時代テニスの名選手だったという面影は見られなかった。幾分むくみの残っているような顔に漂っているのは、スポーツ選手のそれではなく、勉学好きな癇性《かんしょう》らしい若者の翳《かげ》であった。

燎平は、もう一度安斎にラケットを握らせて陽の当たるテニスコートに立たせてみたかった。燎平は食堂の入口でコーラを買って、グラウンドに面した大きなガラ

ス窓のところに腰かけた。安斎はざるそばを買って来て、燎平の横に坐り、テニスコートに目をやった。

「金子、上手になったなァ」

「あれだけ朝から晩まで練習してるんやから、そら多少は上達せんとなァ」

燎平が言い返すと、

「そやけど、ある程度の線までは行っても、そこから先へ進むのはもう才能の問題やからなァ。金子には、ひょっとしたら才能があるのかも知れへん」

安斎はそれから、あの大男がコツを覚えたら怖いぞォとつけ足して微笑《ほほえ》んだ。

「俺も金子も、毎日十キロのランニングをやりだしてから、ボールが浮き上がらんようになったよ。腰が安定してきたからかなァ」

燎平は言った。コートでの練習が終わってから、五キロ先のゴルフ場までの道を往復している。よほどの大雨でもないかぎり、ランニングをやめることはないのだった。

走り始めて、もうふた月がたっていた。走り終わると日は暮れきり、体は疲れ果てて口をきく力も残っていないのである。練習終了後のランニングを始めてから、新入部員のうち三人が辞《や》めていった。いちばん近くに住む学生でも、家に帰り着くのは八時を過ぎてしまう。

正規の練習開始時間は一時からだったが、朝の十時にはもう誰かがコートでボールを打っている。燎平も日によっては一日に八時間近く練習することもあった。そうした持久力は、山道を十キロランニングすることによって燎平の中から湧《わ》き出て来たものであった。走ることは苦しかったが、やりかけたからには、とことん馬鹿になってみようという意志が、体力に並行して育《はぐく》まれたのだった。燎平は、自分の我慢強さが楽しかったし、苦痛やら疲労やらに耐えることが心地良かった。

「俺は、もうこれからどれほど練習しても、もうそんなに伸びへんと思うんや。多少は伸びても、たいしたことはない。そんな気がするんや」

　と安斎はざるそばを食べ終わってから言った。

「……へえ、なんでや？」

「成長する時期というやつが、誰にでもあると思うんや。テニスに関して言えば、俺の場合は高校時代やったな。そういうピークを過ぎると、あとは知れたもんやろ」

「そんなことはないよ。ほんとに強くなるのは大学時代や。どんな名選手でも、大学で本物の力をつけてるやないか」

　すると安斎は、いやにきっぱりした口調で燎平の言い分をはねつけた。

「ある人は十代に行き着くところに行ってしまうし、ある人は二十代に光りきってしまう。三十代にならんと成長せん人もいてるし、四十代まで待つ人もいてる。それは才能とはまた別の問題や」

燎平は、安斎がテニスに関することだけを言っているのではないことを感じて口をつぐんだ。あの忌《いま》わしい観念が、再び安斎の神経を弱めないよう、彼は友のために祈りたかった。

「もう気が狂うなんて思えへんか？」

と燎平は小声で安斎に訊いてみた。

「思いたくはないけど、やっぱりときどき思ってしまうんやなァ……」

それでも安斎は笑顔を作って、煙草をうまそうに吸った。

「つまり、そういうふうな不安を抱いてしまうという病気なんやな。俺の場合はそれだけやないんやけど、医者がそう言うとったし、俺自身もはっきり病気の質がわかるようになってきたんや。体の病気も厄介《やっかい》やけど、こっちのほうも、なかなか業病やでェ」

安斎が入院していたのは、わずか半年だったが、隔離された異常な状況を想像すると、燎平は胸が苦しくなった。入院中のことをいろいろと訊《き》いてみたい気持はあったが、燎平は黙っていた。

金子とふたりでバスに乗って見舞いに行った昨年の夏のことを思い出し、欅《けやき》の木に囲まれて建っていた病院の白い建物の輝きを心に描いた。燎平には、過ぎ去った夏はいつも実際よりも燦々《さんさん》と光って甦《よみがえ》ってくるのだが、安斎のいた神経科の病院の眩しさは、心の中にあってさえも、目をすぼめなくてはならぬほどに孤立して輝いているのである。

「おい、燎平。あの美人はどうしてる？」

安斎は言った。燎平は、夏子の近況をかいつまんで話した。昨年の秋、父を亡くしたこと、滅多に学校にやってこないこと、父の跡を継いで、一生菓子づくりに捧《ささ》げるなどと、本気なのか一時の気まぐれなのかわからない顔つきで宣言してみせたりすること。

すると安斎は、横目で燎平を見やって、軽く笑いながら言った。

「なんや、ぜんぜん進展してないのか。俺はひょっとしたら燎平とあの娘《こ》が腕を組んで、べたべたひっつきながら歩いてるのと違うかなァって考えたんや」

「それどころか」

と燎平は腕を頭のうしろで組んで、大きく溜息《ためいき》をついた。

「敵はますます遠ざかって行ってるなァ。なんとなく、そんな気がする」

「テニスばっかりやってるからや」

「ほんまに、なんでこんなはめになったのか、自分でもわからんよ。あと二年間で、安斎みたいな選手になれるはずもないのに。俺には才能がないのかなァ」

「一生に二度とない、四年間もの休暇や」

安斎はぽつんと言った。

実際、燎平にとっても、大学生活は、四年間の長い休暇だった。彼は自分たちとはまったく違う、勉学一筋の四年間を送ろうとしているひとりの学生の顔を思い浮かべた。司法試験をめざして白樺の地下で閉店まで法律書と取り組んでいる木田公治郎であった。燎平はもう長いこと白樺に顔を出していなかった。

学生食堂の中を見渡すと、数組の恋人たちが、テーブルに向かい合って話し込んでいたり、並んで腰かけて何かを食べていたりした。一年ぶりに大学に戻ってきた安斎に、燎平は小声でささやいた。

「あの水色のブレザーと真っ赤なマニキュアのふたりは同棲してるんや。男は演劇部の部長で、女は俺とおんなじクラス。入口のところにいてるふたりは、ここ二ヵ月ぐらいのあいだに出来あがった。女が二回生で男は一回生。それから、その手前のふたりは……」

安斎は興味深そうに燎平の説明を聞いていた。ときどきにやっと笑ったり、合いの手を入れたりする様子を見て、燎平は安斎の心が健康を取り戻したのだと思った。そこで金子から頼み込まれていた用件を切り出した。

「来年のリーグ戦には、絶対に勝ちたいんや。金子と俺と、一回生の柳田というやつが戦力なんや。仮にこの三人が全部勝っても三ポイント、ダブルスを入れても四ポイントで、どうしてももうひとつ足らん。安斎が入ってくれたら間違いなく五ポイントで勝ち。ダブルスも勝って六対三の楽勝という計算が出来るんやけど……」

安斎はしばらく考え込んでから、

「まだ自信がないなァ」

とつぶやき、頰杖をついて、ガラス窓越しに遠くのテニスコートを見ていた。テニスコートの中から金子がひとり出て来て食堂につづく坂道をのぼり始めた。

「俺よりもっとしつこいやつが来よった」

燎平が言うと、安斎は困惑したように微笑んで、また煙草に火をつけた。

金子は日陰になった坂道を、巨体を折り曲げるようにしてゆっくりのぼってくると、食堂の窓際を見て目をしかめた。

「あいつ近眼やから、たぶん俺と安斎やろと思てても用心して手を振れへんのや」

燎平は言って、金子に大きく手を振った。金子は坂道の途中で立ち停まり、黒ぶちの眼鏡をずりあげて、それからゆっくりと笑った。陽灼《ひや》けした顔の中から白い歯がのぞいて、それが金子を逞《たくま》しく見せた。

最近では、燎平は金子と試合をすると、五回のうち三回は勝てなかった。金子が強いスピンのかかったサーヴィスを使えるようになったからだった。一メートル九十センチの金子に、高い打点からラインぎりぎりにサーヴィスを叩き込まれると、ラケットにボールを当てて返球するだけで精いっぱいだった。金子はそのサーブを五ヵ月かかって自分のものにした。彼はまい日、練習の始まる一時間前にコートにやって来て、ひとりでバケツに十杯のボールを打ちつづけたのであった。

「太って、元気そうになったなァ……。よかったなァ」

金子は食堂に入って来ると、嬉しそうに言って安斎の肩に大きな掌《て》をのせた。そして、怒ったような口調で言った。

「俺は絶対に、安斎をカムバックさせるぞォ。テニスが出来るようにならんと、ほんまに治ったことにはなれへんやないか」

「テニスなんか、もうどうでもええよ」

と安斎が言った。それが本当の気持であるように、気負ったところもなく、やけになったところもない言い方だった。

「お前ほどの選手が、どうでもええはずがないやろ」

金子が言い返した。燎平の飲みかけのコーラを勝手に飲み干《ほ》して、強い目で安斎を見つめた。

「なんで俺にテニスをやらせたいんや。そんなにまでして勝ちたいか。たかが三流の大学のテニス部やないか。日本一になれるわけでもないやろ」

「安斎克己のテニスが好きなんや。高校時代にファンになって、お前みたいなテニスをしたいと思いつづけてきたんや、……ちょっとキザかな？」

金子は照れ臭そうに笑って、やっと傍にあった椅子に腰を降ろした。それから身を乗り出して、

「三流の大学から、一流の選手を出す。俺が一流になれるか？　なられへんよ。ところがなんと、安斎克己という凄《すご》いのがおったんや。それをみつけたのが一年前や。そやけど病気で一年間休みよった。哀しい病気や。気が狂わへんかと思う病気や。どうやったら治るのか見当もつけへんかった。そやけど治りよった」

「まだ治りきったわけと違うがな」

「治りかけてるんや。その顔は、病人の顔とは違うぞォ。俺にはわかるんや」

「テニスをやりだして、また再発したら、どうしてくれるんや」

「また治せよ」

「治らんと、ほんとに気が狂てしもたら、どうしてくれる」

「狂わば、狂え」

安斎が出かかった言葉を引っ込めて、爪を嚙《か》んだ。燎平は、金子がセリフを全部用意して来たことに気づいた。金子の茫洋《ぼうよう》とした表情の奥にある粘《ねば》っこい計算を思

った。

「狂わば、狂え、か」

安斎は金子の言葉を真似《まね》て、かすかに笑いながらつぶやいた。

「狂え、狂え。そんなことで狂うやつが、何の役に立つ。死んだらええんや」

「何の役に立たんかなァ？」

そう問い返す安斎の目がきつくなった。

「立たんよ。立つはずがないがな。そんなガラスみたいな精神で、生きていけるかよ」

「ガラスみたいな精神にしか出来んものもある」

「それは何や」

「いまはわからん」

金子はテーブルを拳《こぶし》で叩いて、

「ガラスみたいな精神にしか出来んテニスもあるんや」

と大声で言った。燎平が笑うと、金子は何度も眼鏡の縁をずりあげながら、憮然《ぶぜん》とした面持《おもも》ちで、

「こら、何がおかしい」

と言った。そのセリフだけは予定になかったらしく、金子は本当に怒った顔をし

て、気まずそうに目をそらした。

「よし、やろう」

突然、安斎は言った。

「やろうって、何をやるんや？」

金子が口をあけて、ぼんやり見つめ返すと、安斎は、

「テニスやないか。狂わば、狂え、や。ほんまにそのとおりや」

そう言って立ちあがり、腕をぐるぐる廻した。燎平と金子は、しばらく互いの顔を見つめ合っていたが、安斎が食堂を出ていこうとしたので慌《あわ》ててあとを追って行った。

「ほんまに、やるのか？」

燎平が念を押すと、安斎は歩きながら、

「やる。あしたから練習に参加する。ただし来年の夏までや。来年のインカレに出て、それできれいさっぱりやめさせてもらう」

と言った。

「インカレ！」

金子は驚いたように大声をあげ、

「来年のインカレか。安斎なら出られるよ。絶対に間違いない。よし、動き出した

ぞォ」

何が動きだしたのかと燎平は思ったが、次にやることは何であるのか、燎平は無言のうちにわかり合ったような気持になって、金子と安斎から少し遅れて坂道を下り、グラウンドの隅のテニスコートまで歩いて行った。金子はコートの中の部員たちに声をかけた。

「ちょっと練習をやめて、集まってくれ」

ボレーの練習をしていたポンクと石原が顎《あご》から汗をしたたらせて審判台のところに歩み寄って来た。ボール拾いをしていた一回生たちも駈けて来た。いちばんあとから来た星野祐子が金子のいつにないかしこまった顔を見てくすっと笑い、燎平に視線を移した。

練習が始まる前に、金子は祐子にだけあらましを話していたので、彼女は事が首尾よく運んだことを察して、ひやかすように金子を見つめ直した。幼いころからテニスをやっていた祐子は、同じように少年時代からジュニアの大会の常連だった安斎克己のことをよく知っていたのである。

「新しく入部することに決まった安斎克己君や。事情があってきょ年の夏から休学してたけど、きょう復学してきた。安斎君は、知ってる者もいてると思うけど、高校時代、関西ジュニアで優勝した選手や。わがテニス部にとっては大きな戦力になる選手やから、新入部員であっても二回生と同じ取り扱いをする」
金子はそこで言葉をぎって、並んで立っている安斎の背に自分の手をもってい
き、何か挨拶するように促した。安斎は、よろしくとひとこと小声で言っただけで、
あとは黙っていた。ポンクが顔を皺《しわ》だらけにして笑いながら、拍手をした。
「ポンクは、安斎のことを知ってるやろ？」
燎平が言うと、ポンクは小柄な体を伸びあげるようにして、
「知ってますよ。中学生のころから憧《あこが》れてたんですから。うちの大学に来てたなん
て、まだ嘘《うそ》みたいで信じられません」
「あいつは柳田憲二。一回生で、高校のとき、関西ジュニアの十六に入ったんや。
たぶん安斎とダブルスを組むと思うから、よろしく頼むよ」
金子はそう言ってポンクを安斎に紹介してから、解散と大声で叫んだ。
燎平と金子と安斎の三人は、グラウンドの隅を横切って、部室の前まで戻って来
た。
部室はプレハブ造りで、一列に六つの部が並んでいる。テニス部はいちばん西の
端で、隣はラグビー部、その隣はヨット部であった。
ヨット部の部室の前に貝谷が立っていた。両手をズボンのポケットに突っ込み、
チューインガムを嚙みながら、ヨット部の者と話していたが、燎平たちの姿を見る

と、親しそうに手を振って近づいて来た。金子はわざと無視した態度をあらわして、部室の鍵をあけると、

「遠慮せんと入ってくれよ」

そう安斎に言って、中に入った。貝谷は部屋の入口に凭《もた》れて、相変わらず人を喰ったような、投げやりな邪魔臭そうな口ぶりで言った。

「俺をテニス部に入れてくれよ」

貝谷はこれまでも幾度となく、本気とも冗談ともつかない口調で、テニス部への入部の意志をほのめかすことがあり、そのたびに態度をはっきりさせないまま姿を見せなくなったり、他の部に出入りしたりしていたのである。

「お前、もうええ加減にしとけよ。ほんとに入りたいんなら、本気らしい話のきりだし方があるやろ」

燎平は少し腹が立って、ここらあたりで決着をつけておこうと思った。部屋の中の椅子に坐って、入口に立っている貝谷を見た。

「ほんとに入りたいんや。いままで、迷ってたけど、結局テニスをするのがいちばんええと思うんや。これでも小学校の三年生のときからテニスをつづけてきたんやからなァ。やると決めたら、ちゃんと練習にも出るがな」

「ほんとか？」

「卒業するまでつづけるという約束は出来んぞォ。どんな事情が出来るかは予測がつかんからなァ」

「こっちから入ってくれと頼んでるわけとは違うでェ」

「……わかってるがな。そやから、入れてくれと頼みに来たんや」

金子は眼鏡を外して、目をしかめながら貝谷の傍に行った。貝谷の本心を探《さぐ》るみたいに、背を屈《かが》めて睨《にら》みつけると、

「お前、本気やろなァ」

と訊いた。貝谷は部室の中に入って来ると、壁に近寄ってあちこちに目を走らせ、ここや、ここやと言った。貝谷の指差した壁の隅に目をやると、それと気づかない程度の穴があいていた。穴は向こう側から板でふさがれて、燎平たちのいるところからはわからないのである。

「ラグビー部のやつ、ときどきこの穴から覗《のぞ》いとるんや。女の子が着換えるのを順番で……」

「なに！」

金子はそう叫んで、眼鏡をかけ直すと、貝谷のいる場所まで来て、壁の穴に自分の目を近づけた。

「いつから、こんな穴をあけよったんや」

「テニス部の女の子、ラグビー部の連中にヌードを見られとったんやなァ。チクショー、俺も見たかったなァ」

貝谷がつぶやくと、金子は顔を紅潮させて、壁を蹴りつけた。

「おい、燎平、この仕返しは絶対にやらんとおさまらんぞォ。覗いてるときに、火のついた煙草を突っ込んだれ」

それから金子は憤然とした顔を貝谷に向けた。

「お前も一緒になって、覗いとったんと違うやろなァ」

貝谷はあきれたような表情を浮かべて、金子を見あげ溜息をついた。

「お前、よっぽどこの俺を嫌いなんやなァ……」

金子はひとりでロッカーを動かして、穴をふさぐように置き直した。そして、

「ゆかりは、どうしてる？」

と貝谷に訊いた。整形手術をして以来、学校に姿を見せない荒井ゆかりのラケットが壁にかかっていた。

「知らん。このごろ電話もかかってけえへん」

貝谷も事情を知っている様子だったが、それ以上何も言わなかった。燎平は貝谷の尖《とが》った鼻先を見つめながら、二重になってえぐれたような感じを与えていたゆかりの目を思った。

「練習はきついぞォ。来るものも拒《こば》まんが、去るものも追わん。テニス部に入るも入らんも、貝谷朝海の自由やからなァ」

金子の言葉で、貝谷は部室から出て行った。入口で振り返り、

「あしたから、お世話になります」

とおどけたように頭を下げた。燎平はそのとき、貝谷とは長いつきあいになるような気がした。鼻持ちならない男ではあったが、どこかに他の者にはない独自な匂いが漂っていた。特徴のない、平坦《へいたん》な精神ばかりが、キャンパスを行き来していたが、その中で、貝谷朝海は絶えず傲然《ごうぜん》と臭みを放って、白い怜悧《れいり》な顔に薄笑いを浮かべつつ歩いている。王道よりも覇道《はどう》が好きだと、いつか靱《うつぼ》公園で燎平に言ったように、貝谷のテニスもまた貝谷だけの独自な強さを持っているだろうと思えて来たのだった。

「あいつのほんまの狙《ねら》いは、祐子やからなァ。徹底的にしごいて、自分から逃げだすようにしたる」

そう言う金子に、燎平は訊いた。

「あいつが、ほんとに強かったらどうする？　安斎と貝谷で二ポイントやないか」

金子はそれには答えず、いつもの彼らしい笑顔を作って、安斎に話しかけた。

「安斎選手のための、特別の練習プログラムを組むから、安心して俺にまかせてく

れ。長いこと体を動かしてないから、最初は軽く流す程度で行こう。合宿が始まるまでに、体だけ作っといたらええんや。本格的なトレーニングは合宿からや」

「貝谷はあしたから徹底的にしごくんか？」

燎平が言うと、金子はにやっと笑った。

「こちらさんがサラブレッドとしたら、あちらさんは農耕馬みたいなもんや。情けは無用や」

相手が貝谷となると途端に冷淡になる金子の態度がおかしくて、燎平は金子が不審そうに顔を覗き込んでくるまで笑いつづけた。

合宿は、大学からさほど離れていない丘陵《きゆうりよう》に広々と設けられたある大手の証券会社の総合グラウンドを借りて、八月一日から十日間行なわれた。

大学内には正式の合宿所はまだ作られていなかったから、二階の小教室に貸蒲団を持ち込み、そこを宿舎とした。他にも、大学内で寝起きして合宿に入っているクラブがあったので、食事は学生食堂と交渉して三食を賄《まかな》ってもらうことになった。

女子学生が泊まり込むことは、学校側が許可しなかったので、祐子たちは十日間N証券のグラウンドまで通って来ることになった。合宿第一日目の朝、部室の前で集合して、金子は部員たちに言った。

「きょ年の白馬での合宿は失敗やった。涼し過ぎて訓練になれへんかったんや。みんな白馬の麓《ふもと》から帰って来たら、大阪の暑さに参って、へとへとになった。これからはもう二度とあんな轍《てつ》は踏まんつもりで、わざとこの大阪の暑い盛りの場所を選んだんや。N証券のグラウンドには四面のテニスコートがあるから、とにかく練習だけは充分出来るはずや」

そこで金子は語気を強めた。

「白馬とか軽井沢とか、快適な場所で合宿をするような連中は所詮《しょせん》お遊びに過ぎん。我々は勝つためのテニスを身につけるために、煮えたった釜の中みたいなところで、死ぬ一歩手前まで頑張るんや。この十日間で強くなれんやつは、もう一生強くなれんやろ。その覚悟で臨《のぞ》んでもらいたい。とにかくこの十日間は、感情を捨ててくれ。理性を捨ててくれ。ただテニスをする筋肉だけになれ」

大学の裏山の道を抜けて古い寺の横を降りて行くと、村落があった。田圃《たんぼ》や畑がひろがり、車の通りの少ない広い国道を十分ほど歩いて別の丘陵の裾《すそ》まで行った。

そこから先はN証券の敷地で、芝生のびっしり張られた野球場とラグビーやサッカーのための球技場が白い鉄筋の建物をあいだにして作られている。テニスコートは一段高くなった広い台地の中にあり、まわりには陽を遮る樹木一本生えていず、ただ手入れの行き届いた芝生がひろがっているだけだった。

貝谷はテニスコートを見て、うわァっと小声で叫び、うんざりした顔つきで舌打ちをした。いつ音《ね》をあげるかと思っていたが、貝谷は入部してから一日とて練習を休まず、命じられるままに、ボール拾いやコート整備やランニングをやりつづけていた。

彼の色白な顔は陽に灼けて赤くなり、頰の肉も落ちていたが、それでもどう眺めても、スポーツ選手らしい精悍《せいかん》さも若者らしい明晰《めいせき》さもなかった。たまたまぎれ込んだ部外者みたいな目で、絶えず小首をかしげたり薄笑いを浮かべたりしながら仲間たちに接しているのだった。貝谷は燎平のほうを振り返って言った。

「ほんまにここは釜の中やなァ。芝生がむんむん照り返って、風ひとつ吹いてないがな」

「しかし、いつやめるかと思ってたけど、きょうまでつづいたやないか」

燎平はこの一ヵ月間、ただの一球もコートでボールを打たせてもらえなかった貝谷に対して、ある種の驚きを込めて言った。

「ぶらぶら遊ぶのにも飽きたし、他にやることもないから、テニス部にでも入らんと身がもたんよ」

「そやけど、ボール拾いとコート整備ばっかりやったがな」

「きょうから打たせてくれるやろ。金子がそう言うとった。とにかく俺は新入りやからなァ」

貝谷はそんなに不服そうでもない口調でつぶやくと、並んで歩いている安斎の肩に手を置いて、

「こちらさんのテニスを見てるだけで値打ちがあったよ」

と素直に言った。安斎も灼けて、体の余分な肉が絞られていた。最初のうちは、ラケットの素振りや柔軟体操や軽いランニングで、一年余りの静養でなまってしまった体をほぐしていたが、二週間前からボールを打つようになっていた。

安斎のテニスを見ていると、なるほどラケットとはあのように振るものであったのかという思いにさせられた。飛んで来るボールを自分のいちばん打ちやすい地点で捕えるには、なるほどあのように両足を運んでいくものなのかと、燎平は何度も見惚《みほ》れたりした。ネットにつく際のアプローチショットから、ボレーのタッチのタイミングまで、燎平は安斎のテニスを見ていると、それが自分にも簡単にこなせそうに思えてしまう。優《すぐ》れたテニスをよく見ることが上達の秘訣だと技術指導の本で読んではいたが、手本となるプレーヤーを身近に得て、燎平にはその意味がよくわかった。

だが安斎は、じつにオーソドックスな選手ではあったが、誰もが決して真似の出来ない特徴を持っていた。それは〈予測〉であった。次に相手がどこに打ってくる

のかを、まだ相手のラケットが動きださないうちに予測してしまうのだった。予測は外れることもあったが、重要なポイントではほとんど的中した。単なるヤマカンではない、ひとつの流れの中から生まれる必然をつかまえる能力があって、それが安斎の小気味よい流麗なフットワークにつながっていた。

燎平は、それこそが、安斎の病気なのではないかと思ったりした。そう思わしめるほどに、ボールは安斎の走って行く地点に飛んで行くのであった。先を読む力が、安斎の精神の中に、絶えずある種の不安をもたらしているような気がして、燎平は安斎に心の病がまた取り付きはしまいかと心配した。

先にコートに入って待っていた石原が、うえっと声をあげて、尻もちを突いた。

「コートの中、もう三十六度もあるぞォ」

彼は持って来た寒暖計をフェンスに取り付け、温度を計っていたのである。

「こら、石原、けったいな物を持ち込むな」

金子が言うと、石原は、

「そやけど、合宿に入る前から、金子があんまりおどかすから、煮たった釜の中はいったい何度になるか計ろうと思たんや」

そう言って、目を丸くして寒暖計の目盛りに見入った。

「この調子やったら、昼からは四十度を超えるぞォ」

入道雲が微動もせず空の彼方に光っていた。広大な球技場には人っ子ひとりいなかった。麦わら帽をかぶった老人が建物から出て来て、使用する際の注意事項を長々と喋《しゃべ》り、ネットをしまってある物置の鍵をくれた。

「あの管理人の爺《じい》さん、ちょっと意地悪そうやなァ」

燎平は言った。金子は片目をつぶってみせ、

「大丈夫、酒を二本届けといたからな」

と言った。

「さすがは金子や。神経が行き届いてるがな」

「これは祐子の入れ知恵や」

金子は嬉しそうに言って、よく固まっているコートの土を足でとんとん踏んでみせた。

「そやけどあのお爺さん、このあいだ挨拶に来たら、すごく機嫌が悪いんやもん。せっかくきれいに管理してあるのに、学生に汚されたらかなわん、そう言うて睨むのよ」

「まあ気にせんと行こう。こっちはN証券の重役の許可をもろてあるんや。ただし、ゴミを捨てたり、コート整備を怠《おこた》ったりしたら、もう使わせてもらえんようになるぞォ」

金子は大きなノートに書き込んだ練習の進行表を見ながら、それぞれに指示を出した。柔軟体操を終えると、四面のコートで、金子の言う「死ぬ一歩手前までの練習」が始まった。

燎平は掛け声をあげながら、感情を捨て、理性を捨て、テニスをする筋肉だけになる十日間のことを思い、心がしんとしてくるのを感じた。もし本当にそんな十日間がおくれたら、自分は今までとは違った目の光やら覇気《はき》やら明晰さやらを手に入れることが出来る気がするのである。

燎平は一球一球、喉《のど》の奥から声を絞り出すようにして、ネットの向こうのコートの中に叩き込んでいった。どこでボールを捕えるか、ラケットをどのように自分の腕にしてしまうか、いかにしてラケットの真ん中にボールを当てるか、いかにして意思を持たないただのボールに生命を与えるか。燎平は身を屈め、小刻みに跳躍し、心を集中して、翳りのない蒼穹《そうきゅう》の下でボールを追った。

合宿に入って三日目の夜、燎平と金子と貝谷と安斎は、消灯までの短い自由時間を、坂道から校舎につづく長い石段のところで過ごした。階段の昇り口にある水銀灯の明かりだけが、あたりを薄青く浮かびあがらせていた。水銀灯のまわりには数十四の蛾《が》が群らがって舞っている。四人は思い思いに石段の上に寝そべって夜空を見ていた。

「おい、金子。一生の頼みを聞いてくれ」

と貝谷が言った。

「なんや?」

「煙草を吸わせてくれ」

「合宿中は禁煙や」

「鬼! 悪魔!」

貝谷は怒鳴った。安斎の忍び笑いが闇の中に響いた。涼しい風が断続的に吹いていたが、風を感じるたびに、

「おお、極楽の余り風よ」

と金子は弱々しい声でつぶやいた。燎平は、蒸《む》し暑い夜の闇の彼方に、確かに極楽からそよぎ来るかと思えるような心地良い風の源があると思った。疲れきった、けだるい体が神経を冴《さ》え冴《ざ》えとさせて、架空の場所がすぐ近くに実在している錯覚を呼び起こしていた。

丸い月があった。烈《はげ》しい練習はまだたったの三日間しかこなしていなかったが、夜になると口をきく気力も失《な》くしていた。

「おお、もっと吹いてくれ、極楽の余り風よ」

金子がまた言った。そして、がばっと体を起こして、

「うまいホットケーキが食いたい」

と言った。

「蜂蜜をいっぱいたらして、甘いカフェオレを飲みながら、俺はホットケーキを食いたい」

「俺は煙草を吸いたい」

貝谷も語尾のはっきりしない言い方であおむけに寝転がったままつぶやいた。

「俺は、冷たいビールが飲みたい」

燎平が言うと、

「そして、夏子に逢いたい」

金子がそうつづけた。燎平はこの三日間、一度たりとも夏子のことを考えたことはなかった。ただの筋肉と化して、炎天の下でラケットを振っていた。

「おい、貝谷。お前の本当の狙いは星野祐子らしいて金子は信じてるけど、ほんまか？」

燎平は自分のすぐ下の段にいる貝谷に訊いた。

「それもある」

貝谷はいやに素直に認めた。暗かったから、貝谷の表情は見えなかったが、どうせ月を眺めながら、いつもの薄笑いを浮かべているのだろうと燎平は思った。

「しかし、テニスがやりたかったというのが本心や」

「嘘をつけ！　お前の狙いは祐子だけや。正直に白状したら、煙草を吸わせてやってもええ」

金子の言葉で、貝谷は半身を起こして、

「何でも白状するぞォ。この際、煙草のためなら命をも捨てよう」

とどこか芝居がかった口調で答えた。

「よし、たとえ女のためとはいえ、一ヵ月間の冷たいしごきに耐え、あまつさえこの死の合宿に参加して逃げだそうともせん根性は見あげたものや。煙草を吸わせてやる」

金子はそう言って立ちあがり、校舎の中に入って行くと、しばらくして小さな紙包みを持って帰ってきた。

「どっちみち、途中で音《ね》をあげるやろと思て、買っといたんや。好きなだけ吸え。ただし、他の者には内緒やぞォ」

それまで黙っていた安斎も起きあがり、紙包みの中の煙草を取り出した。一服吸い込んでから、ほうっと溜息をついて、

「金子も燎平も煙草を吸わんから、このうまさはわからんやろなァ」

安斎は言って、貝谷と顔を見合わせて笑った。丘陵の麓の田圃から蛙《かえる》の鳴き声が

聞こえてきた。

「もう欲も得もないよ。完全にばててしもた」

貝谷は煙草をくわえたまま、石段に横たわり、呻《うめ》くように言った。

「まだ序の口や。死ぬ一歩手前までやるんや。それよりも貝谷、さっきの祐子のことを正直に吐いてしまえ」

金子に促されて、貝谷は半ばやけくそぎみに言った。

「惚れてるぞォ。祐子に。もう狂おしく惚れてるんや。そやから俺はテニス部に入った」

「こいつ、小学生のころから、祐子のことが好きやったんや」

燎平がひやかすと、貝谷はひどく懐《なつか》しそうに、

「あいつ、小学生のときから、物静かで清楚《せいそ》やったなァ」

と言った。

「美人でないところがええよなァ」

安斎はそう言って、ひとり離れた場所まで歩いて行き、立ったまま丘陵の下の人家の灯を見つめた。金子は驚いたように安斎のほうに向き直り、

「おい、安斎までが惚れてしもたのか」

と叫んだ。燎平は笑いながら金子の肩を突いた。

「恋仇《こいがたき》がいっぺんにふたりも増えたやないか」

「アホ！　俺が女なんかに惚れるか。俺はべつに好きでも嫌いでもない。惚れられる自信がないから、こっちから惚れもせんよ。勝ちめのない戦はやらん主義や」

金子は鋒先《ほこさき》をかえて、貝谷のテニスを話題にした。

「しかし貝谷のあんなフォームで、なんでボールがちゃんとコートの中に入って来るのか不思議やなァ」

金子の言葉のように、貝谷のフォームは確かに一風変わっていた。ほとんど棒立ちのままで、体もほぼ正面を向いたままラケットをボールにかぶせるようにして振り廻してくる。一見無造作で、ボールがどこに飛んで行こうがいっこうに気にしていないような、邪魔臭そうな打ち方だったが、相手コートの中にちゃんと入れてしまう。それはどんなテニスの技術書にも載っていない極めて変則的なテニスで、燎平はあんなテニスもあるのかと驚いたが、安斎に言わせると、理に叶《かな》っているという。

「とにかくどんな方法でもええ、相手のコートにボールが入ったらええんやから、貝谷のテニスはあれでちゃんと出来あがってるんや」

「しかし、よっぽど腕の力が強くないと、あんなふうにラケットを振ったりは出来んよなァ」

金子は貝谷の肩のあたりをさわって言った。

「見てくれは悪いけど、試合になると強いテニスや」

安斎がそう言って、新しい煙草に火をつけた。燎平はそれと同じ言葉で、貝谷から変則的なテニスの習得を勧められたことがあり、早瀬八郎太という奇妙な回転を武器とする老プレーヤーの存在を教えられたのだった。

燎平は、貝谷のようなテニスも、早瀬老人のようなテニスも、自分には到底真似が出来ないと思った。異端ではあっても独自な、どこかに一点他の者より秀でている部分が、自分にはまったく見当たらないような気がするのである。何もかもがこぢんまりとまとまって、平凡で、おもしろくも何ともない人間だと思うのだった。

「大学に入ってから、テニスのことを考えてたんや。いかにして試合に勝つか。それで、あることを思いついた。試《ため》してみたかったからテニス部に入ったんや。それが本心や。どうも俺が真面目に話をしても信用してくれへんけど、ほんとやでェ。祐子に惚れてることも事実やけど……」

「あることを思いついたて、それは何や?」

金子は貝谷に訊いた。貝谷はしばらく黙って煙草を吸っていたが、やがて、

「いかにして確率の高いテニスをするかということや」

と答えた。

「威力はないけど確実な球を打つ。ファーストサーブをどこに入れるか。ストロークの球筋はどうか。ネットの何センチ上を越えたらええのか。バックラインの何センチ手前に落としたらええのか。相手のいちばんいやがるプレースメントはどこか。どのポイントが大事か。いかにして自分のテニスをするか。……まあ、そんなとこやなァ。そやから、練習のときは、ただそれだけを一心不乱に試しながら打ってるんや」

「ふうん、なるほど」

金子が感心したように言った。貝谷のテニスを見ていると、そんな緻密《ちみつ》な計算がひそんでいるとは思えなかった。テニスをしているときも、そうでないときも、貝谷はどこかでふざけているような真剣味のない動作しか出来ない人間であるらしかった。

「あしたは、試合を中心の練習をする。朝から晩まで試合ばっかりや」

金子が言うと、貝谷は、

「俺は試合が好きや、シングルスの試合をしてると、ぎらぎら燃えてくる」

そうつぶやいて立ちあがり、松の木の根元に唾《つば》を吐いた。そしてズボンのポケットに両手を突っ込み、宿舎になっている二階の教室へひとり帰って行った。貝谷がいなくなると、金子は安斎に体の調子を訊いた。

「大丈夫や。悪魔はいつでも近くにいてるけど、いまのところ、俺の中には入って来そうにないな」

「そうか、しかし調子が狂てきたら、いつでも言えよ」

そして、金子は安斎の傍に歩み寄り、同じように丘陵の麓に目を落としてつぶやいた。

「なんで、気が狂えへんかなんて、考えてしまうのかなァ。俺には考えもつかんことやなァ……」

「俺にもわからん」

安斎はぽつんと言って、それきり黙っていた。小高い丘の上ではあったが、風はたまに吹いて来るだけで、真夏の夜の蒸し暑さが、燎平の首のまわりをじっとりとさせてきた。腕や肩の筋肉が張り、わき腹やふくらはぎが痛かった。

燎平は、一方では安斎の復帰と加入を喜ぶ気持があったが、もう一方では決して安斎にテニスなどをさせてはいけないのではないかという危惧《きぐ》を抱いていた。安斎の心の病が、簡単なものであるとは思えなかったからである。祖父が狂死し、ふたりの兄までも同じ道を辿《たど》った家系の中にあって、安斎の不安は、燎平や金子には到底窺《うかが》い知ることなど出来ないもののように思われた。そんな安斎が、自分たちと同じように烈しい合宿に参加して、いま疲れた体を丘陵の夜の中にひたして立っているのだと思うと、なぜか切なくなってくるのだった。

安斎と貝谷が練習試合をすることになった。

それぞれ四面のコートでは、朝から公式戦と同じ三セットマッチがつづけられていた。燎平は午前中に二試合をこなして、それだけでぐったり疲れ果ててしまっていた。

燎平は午後からの練習が始まると、金子に、安斎と貝谷の試合の審判をすると申し出た。審判をしているあいだは、とにかく坐っていられるからであったが、ふたりの試合に興味があって、ゆっくり観戦したいという気持もあったのである。

太陽は真上にあった。陽光は広大な芝生の緑の中で醸《かも》されて、湿《しめ》った草の匂いのする熱気と化してテニスコートを包み込んでいた。コートには充分に水が撒《ま》かれたが、たちまち乾ききって砂埃《すなぼこり》となり、選手の靴下を茶色く染めてしまった。貝谷が、その変則的なテニスで、安斎にどれだけ食い下がることが出来るのか、燎平はじっくり見てみたかった。

「振り飛車で行こうかな、金やぐらで固めようかな」

貝谷はちぢれた頭髪を手で撫《な》でつけて、太陽を見あげた。鼻と額と頬骨の部分だけが灼けて赤く光っていた。安斎は高校時代から使っているらしい色褪《あ》せたテニス帽を水で濡らし、固く絞って頭にかぶった。

貝谷のサーヴィスで試合は始まったが、彼のサーブは威力のない、ただ相手コートに入れていくだけの緩《ゆる》いものだった。だがよく曲がるスライスとスピンを使い分けて、少しでも安斎をコートの外に追い出そうと工夫していた。球にはスピードがなかったから、安斎はコートの外に追い出されても楽に返球して、深い場所にスピードの乗った球を送った。

貝谷は腰高のフォームからラケットでボールをこするようにして打ち返していた。不安定な、いまにもミスをしそうな打ち方だったが、貝谷のラケットから離れたボールは決してネットにかかったりラインを割ったりしなかった。ボール自体はいかにも飄々《ひょうひょう》として見えたが、貝谷の目は冷たくすぼんで吊《つ》りあがっていた。

安斎は周囲の目を気にしているのか、動きが固かった。けれども伸びのある深い球を二、三球貝谷のバックサイドに送ると、ぴったりネットについて、コーナーにタッチのいいボレーを入れた。一瞬抜かれたかと思うようなパッシングショットを打たれたが、安斎はほとんど体を横に一直線に伸ばすようにして、鋭角的なバックボレーを決めた。

ボール拾いをしているポンクが感嘆の声をあげ、打たれた貝谷も驚いたように舌打ちして首をかしげた。安斎はスマッシュの確率も高かったから、前に出られたら、

貝谷としては打つ手がないようだった。四―二とリードされて、貝谷はふてくされた笑いを浮かべたまま、

「ちぇっ、やっぱり振り飛車しか手がないなァ」

と誰に言うともなくつぶやいた。

次のゲームは貝谷が粘りを見せた。五―二と差をあけられるか、四―三と縮めるかは、このセットの勝負の分かれめで、第七ゲームはいつの場合でも大事な分岐点だった。貝谷の理論からいけば、絶対に落とせないゲームなのである。

貝谷は速い球を伸びあがるようなフォームから安斎のバックに送ってネットに出た。安斎はロブをあげたが、少しアウトしてしまった。貝谷は急にネットにつくようになった。パッシングで抜かれることもあったし、絶妙のロブで頭上を越されてしまうこともあったが、それであきらめて、後陣に退いてしまうことはしなかった。ネットにつくと、必ず左右どちらかのサイドに極端に寄って、わざとがらあきの場所を作っておき、安斎がラケットを振る瞬間に、そのあけてある場所にすうっと横走りした。そうやって、つづけて三ポイントを取って第七ゲームを奪ってしまった。

誰でもやりそうな手口だったが、意外と誰も手を出さない作戦でもあった。相手が水準以上の選手だと、予想以上に角度のあるスピードボールを打たれて、みすみす餌食《えじき》にされる怖れがあったからである。

安斎にサーブが移っても、貝谷は前に出た。こんどはわざとあきを作ることはせず、セオリーどおりの地点でネットについた。そうやって、あの手この手と安斎を攪乱《こうらん》しようとしていた。

燎平は審判台に坐って、ポイントをコールしていたが、そのうち貝谷が安斎の〈予測〉の裏を読もうとしていることに気づいた。貝谷の、安斎を睨みつける目の烈しさに惹《ひ》かれた。技量ははるかに安斎が優《まさ》っていたが、勝とうとする執念とか工夫とかでは貝谷が上廻っているのである。だがテニスは積み重ねていくゲームだったから、番狂わせのほとんどないスポーツで、燎平は結局貝谷がいつか力尽きるに違いないと思っていた。予想どおり、第一セットは六—四で安斎が取った。

審判台の横に立って観戦していた金子は、

「貝谷のやつ、しっかりしたテニスをやりよるなァ」

と言い、燎平を見あげてあいまいな笑みを投げかけた。

貝谷はベンチに坐って、太腿《ふともも》からふくらはぎにかけて噴き出ている汗を、大きなバスタオルでぬぐい、丁寧《ていねい》にグリップの汗も拭《ふ》いて、うなだれたまま何かしきりにひとりごとを言っていた。酔っぱらいが、ひとりくだを巻きながら、首をぐらぐらさせているさまに似ていた。

他の三面のコートでは、別の試合がつづけられていて、審判の声とボールを打つ音が、真夏の盛りの太陽の下で響いていた。日ごろの、貝谷の一種虚無的な目は、太陽の光を反射して白くどんより曇っているみたいに見えた。それは石膏《せっこう》の像の瞳《ひとみ》のない目に似て、虚《うつ》ろでありながら底知れぬ深みを覗かせているのである。相手が安斎であることが、貝谷に、彼自身の言葉でいうところの「ぎらぎらと燃え」る状態をもたらしているらしかった。

安斎も隣のベンチに腰を降ろして、額や首の汗を拭いていた。小さいときから、多くの場数を踏んできたこの名選手は、まだ自分の本当の力を発揮していないように思われたが、七分の力で、何のランキングも持たない無名の相手に手こずっていることに当惑して、隣接している広大な球技場を見つめながら、舌を舐《な》めたり何度もまばたきしたりして息を整えていた。陽炎《かげろう》が緑を揺らし、コートの白線を波打たせた。燎平は自分の頬がまさにいま刻々と灼けているのを感じた。

第二セットに入ると、貝谷はラケットを下から上にすり上げるようにして、ちょうどサーヴィスラインとバックラインの中間にボールを落とすようにし始めた。ボールはネットのかなり上を力なく飛び越えて、着地後大きくバウンドした。そんな球を安斎のバックサイドに送って、前に出るチャンスを窺っているようだった。

安斎は自分の顔の高さで打ち返さなければならなくなり、無理のないフォームからスライスをかけて返しながら、貝谷のミスを待って、短い球が飛んで来るのを待つつもりらしかった。貝谷のボールはよく回転がかかっていたから、それはかなり有効な作戦で、安斎は少しずつネットから遠くなり、反対に貝谷は自然に前に出る形になった。たとえ前に出たとしても、ネットプレーが下手だとかえって自滅してしまうのだが、貝谷はミスをしなかった。ネットプレーもまた、フォームなどまったく無視した、無造作なラケットさばきを見せ、どこに飛んで行くのかわからないようにして、サイドラインぎりぎりに入れてくるのだった。

二ゲームを連取されて、安斎の動きがぎごちなくなった。ときどき信じられないミスをした。ただしスピンサーブはよくキックがきいて、しばしばエースを取ったが、大事なポイントを簡単に落とす場面が目立ち始めた。

「おかしなフォームやけど、ラケットの面が崩れへんからなァ」

金子は貝谷のテニスに感心して、

「独特の運動神経や。あいつ、ひょっとしたらポンクより強いかも知れんなァ」

と言った。

「安斎も、ブランクが長かったから、腰のきれが悪いんや。クロスに打つ球が甘いやろ」

燎平は金子にそう言ってから、ボール拾いをしている一回生に帽子を取ってもらった。

「試合が長引いたら、安斎のやつ、また例の発作を起こさへんやろなァ」

金子が心配そうに燎平を見た。

セットポイントのかかっている長いラリーに粘り勝って、貝谷が第二セットを六―四で取った。試合の終わったポンクが、灼けてこれ以上黒くなることはあるまいと思われる腕を陽光にかざしながら近寄って来た。乾いた汗が白い塩になって産毛《うぶげ》に付いていた。ポンクは、安斎と貝谷の試合がセットオールになったことを知って驚いた様子だったが、

「まあ貝谷さんも、ここまでですよ」

と小声で言って笑った。ポンクはきょう午前中の練習試合で、安斎に六―三、六―二で負けていたのだった。

太陽はますます勢いを増して、テニスコートを照らしてきた。長いホースを引っ張って来て、ポンクたち一回生がコートに水を撒いた。撒いている間、貝谷はぶつぶつひとりごとを言いながら、同じ場所を行ったり来たりしていた。

燎平は、なるほど貝谷は確かに二流の上だなと思った。一流になどなれるはずはないのだから、最初から二流の上を目差して、そのようなテニスを作りあげるのだと言ったときの貝谷の、人を小馬鹿にした目つきを思い出した。幼いときから、一流を目指して、テニスの英才教育を受けてきた安斎とは対照的に、貝谷は誰に教わ

ったとも言えない奇妙な傍流のテニスを身につけて互角にわたりあっているのである。何かをひとりでつぶやきながら、コートの隅を歩き廻って、水撒きの終わるのを待っている貝谷の姿は、燎平にはひどく孤独に見えたが、どこかに粛然《しゅくぜん》としたものも感じるのだった。

第三セット、燎平は試合がはっきりと神経戦になったのに気づいた。どちらも急に萎縮《いしゅく》したように、後陣にとどまって安全なボールを打ち合っていた。

「長引きそうやなァ」

金子が少し苛立《いらだ》った言い方でつぶやき、腕時計を見た。金子としては、貝谷程度の相手に苦戦している安斎が歯がゆいらしく、安斎がポイントを取るたびに、口の中で、よしと小さく叫んだ。反対に貝谷がポイントを取ると、ちぇっと舌打ちした。するするっとネットについた貝谷が両腕を拡げて棒立ちになったまま、突然、

「来い！　キチガイめ」

と叫んだ。部員たちが全員呆気《あっけ》に取られて貝谷を見つめた。安斎の打ち返した球はネットにかかった。

「おい、そんなことを言うな」

金子が怒った。金子はサーブの構えに入った貝谷を制して、もう一度、

「そんな汚ないテニスは認めんぞ」

と言った。貝谷は金子などまったく無視した態度で、同じ地点を五、六回ぐるぐる歩き廻ってから、唇を歪《ゆが》めて安斎を睨みつけた。笑っているのか泣いているのか判別のつかない不思議な形相《ぎょうそう》を見せてから、再びサーブの構えに入った。

金子が心配そうに安斎を見つめたが、安斎は別に気にしたふうでもなくレシーブの構えを作っていた。安斎の病気のことは、燎平と金子しか知っている者はいないはずで、貝谷の言葉は単なる攪乱戦法に過ぎないと思われた。

「あの野郎、よりによって安斎にキチガイとは、何ちゅうことを言いやがる」

金子は燎平にだけ聞こえるように声を落とすと、憤然と言った。

「おい、安斎のやつ、負けるかも知れんなァ」

燎平がささやくと、金子は腕組みをして、

「負けるはずがないやないか。この程度の修羅場《しゅらば》は、いやというくらいくぐって来てるよ」

だが燎平は、ツボにはまらなかった際の、安斎の思いがけない脆《もろ》さを見せつけられている気がして、少なくとも技量に圧倒的な開きのある敵に伍《ご》して、自分のテニスを展開してみせている貝谷の人間としての強さに、素直に感嘆してしまうのである。

安斎が三―二とリードして、コートチェンジをした。貝谷は首をうなだれて審判

台のうしろを通り過ぎながら、

「よし、行くぞォ」

と言った。自分に言い聞かせているのだった。

貝谷は二、三球打ち合ってから、ネット際にドロップショットを打った。それから前に出た。安斎は、まさか貝谷がドロップショットの次にネットについて来るとは思っていなかったらしく、自分もドロップショットを打ち返した。貝谷は待ち構えていて、がら空《あ》きのコートに難なくエースを決めた。ドロップショットが少しでも甘かったら、たとえ安斎でなくても、簡単にパッシングを通せるはずで、それが貝谷らしい作戦の、最後の切り札らしかった。

ふたりの足元につきまとう小さな影が、少しずつ長くなっていった。貝谷は三—三に盛り返し、再び四—三とリードされ、四—四に追いついた。

安斎は優勢のときも劣勢のときも、まったく表情を変えなかったが、貝谷はコートの上に唾を吐いたり、ラケットの先で白線の上の砂をはらったり、ひとりにやにや笑ったり、ぶつぶつ何事かつぶやいたりしていた。だらしなく口を開けて、下唇を舐めたかと思うと、急に顔中に皺を寄せて掛け声をあげたりした。

試合は三時間を超えようとしていた。第九ゲームの途中、貝谷は安斎の打って来た何でもないボールを大きくアウトした。すると貝谷は、ぎゃあっという叫び声をあげて、ラケットをコートに叩きつけた。折れたラケットが隣のコートにまで飛んで行った。貝谷はその折れたラケットを追いかけて行き、さらに力まかせに蹴りつけ、両方の拳を固めて、もう一度ぎゃあっと叫んだ。

　これには安斎もさすがに驚いた様子で、初めて小首をかしげながら苦笑いを燎平に送って来た。それを境に、貝谷は猛然とラケットを振り始めた。棒立ちの腰の高いフォームから力まかせにボールを叩きつけてネットに出ると、一か八かのボレーを打ち始めたのである。

　なぜ入るのか不思議なくらい、貝谷のボールはラインすれすれに決まった。安斎は追いつめられてロブをあげたが、貝谷の、手首だけで左右に打ち分ける威力のないスマッシュを返しきれなかった。安斎も貝谷も足をひきずり始めていた。とりわけ貝谷の頬は、試合前と比べるとはっきりわかるほどに削《そ》げ落ちてしまっていた。

　五—四と貝谷がリードしたとき、燎平はこれで決まったと思った。力量からいえば、安斎があっさり逆転する可能性は充分に残っていたが、なりふり構わぬ貝谷の執念は、最後の一ゲームをどうやってでも奪い取るために、理論や方式や力の差をがむしゃらに押しのけてしまいそうに思われたのだった。だが、もし五—五になったら、貝谷の闘志は途端に衰えて、勝負そのものを捨ててしまうかも知れないとも思った。なぜか貝谷という人間には、そんなところがあるような気がした。

勝負を捨てたのは、安斎のほうであった。安斎は二本をネットにかけ、もう二本を大きくサイドアウトさせて、呆気なく敗れてしまった。ふたりは長いあいだ無言でベンチに坐っていた。

「どうしてかわからんけど、負けたな」

と安斎がぽつんと言った。

「もう二度と勝てんやろな。こんどやったら簡単に負けるよ。……きょうだけやな、俺が勝てたのは」

貝谷はいつまでも息を弾《はず》ませて、いやにしんみりした口調でそう言った。

「テニスが違うよ。俺のテニスはバラケツや。ならず者のテニスやからなァ……」

「強いよ。蛇に睨まれた蛙みたいに、貝谷のいる場所にばっかりボールを打ってしまうんや。いつまで待ってもミスをせんから、つい焦《あせ》って自分のテニスを忘れてしもた」

それから安斎は水を飲み、大きく息をついで、

「俺、こんな不思議なテニスの試合をしたのは初めてや」

とコートの土にまぶされて茶色く変色した自分のテニスシューズに目を落とした。

「俺は、こんなに必死で試合をしたのは初めてや。自分でもぞっとしたよ」

貝谷は自分のいったいどんな部分にぞっとしたのかと燎平は思った。燎平は審判

台から降りて行き、三時間以上も坐りつづけて固くなった筋肉をほぐすために柔軟体操をやりながら、赤みを帯びてきた太陽を見あげた。金子もポンクも、安斎が貝谷に敗れたことが癪《しゃく》にさわるらしく、憮然とした面持ちでときおり顔を見合わせていた。

「次は、燎平と三宅や。ふたりとも用意をしてくれ」

と金子が大声で言った。燎平は何か言いたげに傍に近寄って来たポンクに話しかけた。

「なんや、機嫌が悪そうやなァ」

「正義は勝つ、はずなんですけどねェ……」

ポンクは首をかしげて、ぺろっと舌を出した。

「貝谷は悪か？」

「そういうわけとは違いますけど……。なんぼ考えても勝てるはずがないんですよ。あんなテニスが……」

「そやけど勝ったやないか、現実に」

「……ええ、そうですねェ」

釈然としない顔つきで、ポンクは燎平と三宅との試合を審判するために、小走りで審判台のほうに行った。

燎平は気持が昂《たかぶ》ってじっとしていられなかった。不思議な戦いを見たあとの余熱が、心の中を占めていた。ついさっきまで安斎と貝谷の試合が行なわれていたその同じコートに立って、貝谷の白目の勝った虚ろな目元が、三時間以上ものあいだ、烈しい光を帯びて吊りあがっていたさまを思った。

王道とは何であろうかと燎平は考えた。そして、貝谷の言う覇道とは何であろうか。すると燎平の心に、社会の中で、あるいは力弱く悄然《しょうぜん》と生きているかも知れない数年後、数十年後の自分の姿がふいに浮かんできた。

7

安斎克己のテニスが、本来の安斎らしい切れ味を発揮し始めたのは、年が明けて、ほんの少し桜のつぼみがふくらみかけた時分であった。

燎平も金子もポンクも貝谷も、そんな安斎にはもはやまったく歯がたたなかった。何度試合をしても、誰も安斎には勝つことが出来なかったので、金子は思いを巡《めぐ》らせて、もっと強い選手を安斎の練習相手に選ぶべきだと言いだした。

「相撲《すもう》で言うたら、出ゲイコや。そうせんことには、安斎はこれ以上は強くなられへん。いまの力でも、充分インカレ選手にはなれるやろけど、全国の大学には、思いも寄らん強い選手が隠れてるやろ。きょ年の夏の合宿で貝谷に負けたみたいな、あんなとんでもないポカが起こる心配があるやないか」

と金子は湯気のたっているカフェオレをすすった。練習を終えて国鉄の大阪駅に帰って来たテニス部員たちは、いつものように梅田の地下街の奥にある〈露人〉に集まっていた。

「出ゲイコというても、一部リーグの大学のテニス部の練習に、ほな失礼しまっさ言うて勝手に参加するわけにはいかんやろ？」

燎平が言うと、金子は湯気で曇った眼鏡をかけたまま、目をしかめて貝谷を見た。

「おい、貝谷、なんかええ知恵はないか」

すると貝谷は短くなった煙草を指先でつまむように持ったまま、

「もうこれ以上、強くならんでもええがな」

とつぶやいて、傍《かたわ》らの安斎に笑いかけた。

「リーグ戦に勝って、入れ替え戦にも勝ったらええんやろ？　それからことしの夏、インカレに出たら目的は完遂《かんすい》や。まさかインカレで優勝するつもりやないんやから、そんなにしゃかりきになるなよ」

「お前は何かにつけて、水を差すようなことをぬかしやがる。お前が就職試験の面接で、どんな受け答えをするのか聞いてみたいよ」

金子がそう言ったので燎平は笑ったが、就職試験という言葉が、ある重みを持って心に拡がった。もう大学生活も半分が過ぎてしまったと思った。選手生活も厳密にはあと一年とちょっとしかなく、四回生になったらほとんどのクラブ員は現役を退いて、卒業論文の作成や就職試験に臨《のぞ》まなければならなくなる。半分が終わったということは、いわばもう大半が終わろうとしていることのように燎平には思えてきた。

練習のあとの、いつもの物憂《ものう》い気分と、火照《ほて》った肌の熱さが急に体を押し包んできて、燎平はチーズケーキを食べている星野祐子に視線を移した。練習が終わって、それぞれが部室に引きあげようとしていたとき、祐子が金子と燎平にそっと耳打ちした言葉を思い出した。あとで話があるからといやにかしこまった口調でささやかれたのだが、祐子は露人の隅《すみ》のテーブルについてからも、いっこうに話しかけてくる素振りを見せなかった。

燎平は祐子の前に坐っている石原の肩を叩《たた》いて、席を替わってもらうと、自分のほうから話を切り出した。

「あとで話があると言うてたやろ？」

「……うん」

祐子はあたりをはばかるようにして窺《うかが》うと、ケーキの皿を持ったまま目を伏せた。それからゆっくり視線を燎平の目に注《そそ》いで言った。

「私、大学を辞《や》めることになったの」

「辞める？」

「急に決まったの」

「辞めて、どうするの？」

「アメリカに行くの」

「……アメリカ。そらえらい遠いとこやなァ」

燎平が振り返って金子を呼ぼうとすると、祐子は燎平のセーターの袖《そで》をつかんで制した。

「いやよ。他の人にはまだ知られたくないんやから」

「なんでアメリカに行くんや？」

「結婚するの」

「結婚！」

燎平は思わず声をあげて訊《き》き返した。祐子は燎平の声に驚いて、両手で自分の口を覆《おお》った。

「いややなァ、そんな大きな声を出したらみんなに聞こえるでしょう」

すると、燎平の声を聞きつけた金子が席を立って、ふたりのいるテーブルにやって来た。

「おい、誰が結婚するんや」

燎平は金子の巨体を折り曲げさせ、耳を近づけさせると、

「祐子が結婚するそうや」

そうささやいて、わざと冗談めかして笑った。

「ほう、そらおめでたい話やなァ。相手は俺か？　それとも貝谷かな？」

「あいにくやけど、これは冗談と違うんや。祐子は結婚してアメリカに行くことになったから、大学を辞めることになった。当然、自動的にテニス部も退部することになる。金子には気の毒やけど、ほんまの話みたいやなァ」

金子は野球の選手が守備の構えをしているような格好をしたまま、祐子の顔をぼんやり見つめた。それから燎平に席を詰めるよう促して椅子《いす》に坐ると言った。

「本当か？」

祐子は恥かしそうに微笑し、チーズケーキの最後のひとかけらを口に入れた。

「いつ結婚するんや？」

「六月にアメリカに行くから、たぶん五月の末ぐらいになると思うの」

「……そんなアホな」

誰に言うともなくつぶやいてから、金子は眼鏡をずりあげて、しばらく無言で何かを考えているふうだった。

「五月の末いうたら、もうすぐやないか。えらい急な話やなァ」

燎平が言うと、祐子は昨年の十月に両親の勧《すす》めで見合いをしたのだと説明した。相手は二十八歳の医者の卵で、大学の研究室で勉強をつづけているが、急遽《きゅうきょ》アメリカの大学に留学が決まったのだという。行ってしまえば、三、四年は帰国しない予定で、いったんは相手が日本に帰国し、祐子が大学を卒業してからもう一度縁談のことを考えようということになったのだが、仲に立った人や先方の強い要望で話がまとまったものらしかった。

「祐子、その人のこと、好きなのか？」

燎平が訊くと、祐子はいつものゆったりした微笑を浮かべて、小さく頷《うなず》いた。金子の肩を突いて、燎平は言った。

「おい金子、いまの祐子の顔を見たか？　もうあかん、絶望やぞォ」

「災難というやつは、急に降って湧《わ》いてくるもんやなァ」

金子はそんな言い方をして、自分のうしろ側の席に腰かけている貝谷のほうをさぐるように見やった。

「俺は前からずっと、祐子は本当は隅に置けん女の子やと思てたんや」

と燎平は言った。

「俺もそう睨《にら》んでたんや。しかしこないに早いこと、人妻になろうとは夢にも思わなんだ。電光石火の早業《はやわざ》やな」

金子は眼鏡の奥から横目で祐子を見つめた。そして憮然《ぶぜん》とした口調でつけ足した。

「どうしても医者というのは苦手《にがて》やな。常にひけめを感じてしまう。人間には病気に対する恐怖心があるから、自然に医者に対して一歩退《ひ》いてしまうんや。だいたい医者と患者との関係はやなァ……」

　言いかけて、金子はそのまま口をつぐみ、溜息《ためいき》をついて露人の天井を見あげた。

「つまり、俺は、祐子の相手が医者やという点が気にいらん。なぜかと言われても困る。そんなことお前とは何の関係もないやないかと言われても答えようがない。しかも、さっきの祐子のしあわせそうな笑い顔が気にいらん。つまり、俺は、つまり、何もかも気にいらん。どうもおもしろくない。じつにあいまいな、不思議な心境やな」

「お前、ひょっとしたら、医学部をすべったんと違うか？」

　燎平は本気で訊いた。

「俺は薬学部をすべったんや」

　金子は怒ったように答えて燎平を睨み返し、

「こいつ、俺を馬鹿にしてるなァ」

と言った。いつにない支離滅裂な荒れ方が、金子の巨体を幾分小さく見せていた。

「そもそものなれそめから、きょうまでのいきさつを正直に教えてくれるんなら、俺は祐子の味方になって、快くテニス部から送り出してやってもええなァ」

　燎平の言葉で、祐子は切れ長の目を丸く瞠《みひら》いて、喫茶店のオリーブ色に統一した装飾のあちこちを見つめた。

「いやいやお見合いしたのよ」

「ふん、それで？」

「それで、二、三回、映画を観に行ったり、お食事をしたり……。そのうち、だんだん好きになってきたの」

「どんなとこが好きになったんや？」

祐子が組んだ膝の上に肘《ひじ》を立てて、頬杖をついた。いつもの祐子らしいおっとりした口調には、どこかに寂しげなところがあった。

「なんか、悪いことをして調べられてるみたい」

「そらそうや。祐子は悪いことをしたんや。この金子の顔を見てみィ、悪いことをしたと思えへんか？」

祐子は困ったような、だが珍しく媚《こび》の含まれているような微笑を浮かべて燎平を見つめ返してきた。

「どんなとこが好きになったんやて訊かれても答えようがないわ。ハンサムでもなんでもない、ごく普通の人よ」

「背は高いの？」

「そんなに高くないの。平均よりも低いほうかな。太ってはいないけど、がっちりした体つきかな」

「やっぱり医者の息子で、家柄《いえがら》の結構なぼんぼんというわけか？」

「それが、お父さんは税務署の課長さんで、来年停年になるの。四人兄弟の上から二番目」

「おい金子、多少は機嫌を直したほうがよさそうやな。お前の嫌いなタイプではなさそうや」

金子は黙って腕組みをしたまま、目だけ動かして燎平と祐子を睨んだ。それから口をへの字にしながら何事か考え込んでいたが、やがて首を左右に振って、ぽきぽき音をたててから言った。

「そんな男に、なんで祐子が惚《ほ》れたんや。俺は何を言われても気に入らんぞォ。そのうち、だんだん好きになってきたの。このさっきの祐子のセリフが気に入らんのや」

「ようするに、お前は完全に嫉《や》いてるんや。男の嫉妬《しっと》も陰湿やからなァ」

六月の十八日に日本を発《た》つことだけが決まっていて、あとのことはまったく未定なのだと祐子は説明した。出来れば、リーグ戦が済んだ段階で退部させて欲しいという。

「二十歳にして人妻となるか。祐子がこんな早く結婚するなんて、想像もせなんだよなァ」

部員たちは、いつのまにか、ひとり去りふたり去りして、露人に残っているのは金子と燎平と祐子、それに安斎と貝谷とふたりの一年生だけになってしまった。貝谷が立ちあがり、自分の珈琲代をテーブルに置くと、軽く手を振って帰って行こうとしたので燎平は慌《あわ》てて引き留めた。

「あとで話があるんや。大事件が発生したぞォ」

貝谷は目だけで笑いながら、燎平たちのいるテーブルに近寄り、

「大事件て、何や？」

と訊いた。祐子が、残っていた一年生たちと帰って行ってしまうと、燎平も金子も立ちあがった。帰りたがっている安斎も引き留めて、四人は露人を出てあてもなく歩きだした。地下街の雑踏《ざっとう》の中で燎平は貝谷に言った。

「貝谷の心情を思うと、俺は胸が張り裂けそうやな」

「何のことや？」

「気を落ち着けて聞けよ」

と金子が睨んだ。貝谷は話を聞き終わると、そうかとひとことつぶやいたきり、あとは何を言われても黙っていた。阪急電車の駅につづく大きな階段のところまで来て立ち停まり、貝谷はいつもの薄ら笑いを浮かべて、

「腹が減ったな」

と言った。四人はそれぞれポケットをさぐって、有り金を集めると顔を見合わせた。

「これだけでは、せいぜい餃子《ギョーザ》が五人前というところやなァ」

と金子が溜息をついた。

「俺は、きょうはひとりで五人前ぐらい食ってみたい。ビールも三本は飲みたいなァ」

貝谷は何気なくいったが、燎平は、ああ、やっぱり貝谷は本気で祐子のことを好きだったのだなと思った。

「よし、きょうは、どんちゃん騒ぎをやろう。死ぬほど飲み食いさせてやる」

「おい、燎平、それはほんまかいな」

金子が三本のラケットを肩にかついで、身を屈《かが》ませて燎平の顔を覗《のぞ》き込んだ。

「俺もふられたくちやから、やっぱり餃子五人前にビール三本や」

安斎もそう言って、阪急の東通り商店街のほうへと歩き始めた燎平のあとをついて来た。地下街の隅まで、人混みと一緒に流れて行くと、四人は階段をのぼって地上に出た。

「どこへ行くねん？」

と金子が訊いた。

「白樺や」

「ええっ、またあの気色悪い喫茶店に行くんかいな」

「あそこで金を調達して、それから善良亭へ行くんや」

「善良亭て、何や？」

「べらぼうに安い中華料理屋や。善良亭やったら、餃子二十人前にビール十二本でも、大丈夫や」

燎平は、もう随分長いこと白樺に足を向けていなかった。端山や大沢たちにも、ガリバーにも逢《あ》っていない。予備校時代に木田公治郎に貸した二千円を返してもらい、大沢勘太あたりからもう二、三千円借りられたら、善良亭でたらふく飲んだり食ったり出来ると考えたのだった。

燎平は東通り商店街の人混みを縫《ぬ》って白樺の前まで行くと、地下への薄暗い階段を降りて行った。最初に、いつもの隅の指定席に坐った木田公治郎の姿が見えた。木田だけが、ぽつんと離れて腰を降ろし、反対側の隅のほうに、各大学の体育会の学生たちが集まっていた。

長い学生服を着込んだ神崎が燎平をみつけて、隣の端山に耳打ちし、

「燎平、金を借りに来たんやろ？」

と大声で言った。燎平は端山の傍《そば》まで行き、空いている四人掛けのテーブルに腰

をかけ、金子たちにも坐るよう促した。

「なんで、金を借りに来たことがわかるんですか？」

「そら、ぴんとくるがな」

　と高末が銀歯を光らせて笑った。

「滅多に顔を出さんやつがたまに来るときは、たいてい金の無心や。金がなくなると、ふっと、この店のことを思い出すらしい」

「図星です。金を借りに来たんです」

「お前ら、四人とも真っ黒やないか。ようそんだけ陽《ひ》に灼《や》けたこっちゃ。テニスばっかりしとらんと、アルバイトでもして小遣いぐらい稼《かせ》いでこい」

　神崎は煙草をくわえ、器用にマッチ箱をいじくって片手だけでマッチをすった。

「大沢は、きょうはここに来るんですか」

「勘太は、そこの大都会でパチンコをやってる」

　端山がそう言って、金子と安斎と貝谷の顔を眺めた。

「大都会て、何ですか？」

「パチンコ屋の名前や」

「……はあ」

「そこの大男以外は、新顔やなァ。みんな燎平と同じテニス部かいな」

端山に訊かれて、安斎と貝谷は居ずまいを正した。

「こら、ここに来たら、ちゃんと御挨拶をせんかい」

神崎が口髭《くちひげ》を撫《な》でながら、芝居がかった口調でふたりに命じた。燎平がそっと片目をつぶって合図を送ったので、ふたりは慌てて自分の名前を言い、よろしくお願いしますと頭を下げた。

「こいつ、何となくニヒルな感じやないか」

端山が貝谷を見てそう言い、目を細めて笑った。それから、何の為に金が要《い》るのかと訊いた。

「この三人が失恋をしたんです。それできょうはやけくそやというわけで、善良亭で死ぬほど餃子を食おうということになって……」

「失恋して餃子やて」

と高末が小馬鹿にしたように口を押さえて吹き出した。端山も笑いながら、

「三人とも、ふられたんか」

と言った。

「そらもう、見事にふられたわけです」

金子が真顔で言ったので、端山たちは大声で笑った。静かな白樺の地下室が一瞬騒がしくなった。端山は薄い微笑を浮かべたまま、学生服のポケットから紙幣を出

した。

「善良亭の餃子やったら、これだけで充分やろ」

端山は千円札を三枚手渡してくれた。燎平は礼を言って金を受け取ると、首を伸ばして木田の様子をさぐった。

「ビール代は、あいつに貸してあるんや」

そう言って立ちあがり、木田のいるところまで行った。

「よお」

木田がぶあつい法律書から目を離して、口をぽかんとあけたまま燎平を見つめ返した。

「なんや、燎平やないか。えらい久しぶりやなァ」

「勉強、はかどってるか？」

「うん、頑張ってるでェ」

「予備校に行ってるとき、お前に二千円貸したやろ？」

「……そんなこともあったような気がするなァ」

「ちょっと金が要るんや」

木田は困惑したように耳の穴をほじくり、顔をしかめてポケットをさぐった。そして、五百円札や百円硬貨を混ぜて二千円にすると、テーブルの上に置いた。テーブルの上には大判のノートや鉛筆、丸くちびた消しゴム、それにいつもの緑色のソーダ水の入ったグラスが置かれてあった。

「燎平も、病人の蒲団を剝《は》ぐようなことをするなァ。この二千円持って行かれたら、俺はあしたからどうしたらええんや」

「勉強、勉強。勉強してたら金は使えへんがな」

「この店の勘定《かんじょう》はどないするんや」

木田は恨《うら》めしそうな顔をして無精髭を撫で、大きく欠伸《あくび》をして体をのけぞらせた。金子と貝谷と安斎が、燎平の坐っているテーブルにやって来て、早く店を出ようと促した。燎平は三人に木田を紹介し、テーブルの上の本を手に取って、

「未来の弁護士や。いや、判事さんかな、それとも検事さんやろか」

と言った。金子は小声で、

「この喫茶店には、まっとうなやつはひとりもおらんのかいな」

そうささやいて燎平のセーターを引っ張った。

「金が出来たんやったら、早いとこ退散しようぜ。俺はどうもこの店に来ると、精神に動揺をきたすんや」

「俺もさっきから尻が落ち着かへん。ああいう手合《てあい》は苦手やねん」

安斎が端山たちのほうをちらっと見やったとき、白樺の地下の常連らしい学生た

ちが四、五人、口々に挨拶をしながら階段を降りて来た。燎平にも見覚えのあるR大の空手部の連中の中に、色の浅黒い長身の、ラケットを持った学生がひとり混じっていた。同じR大のテニス部員らしく、いったん端山たちの隣のテーブルについてから、燎平たちのところに視線を向けていたが、やがて立ちあがって近づいて来ると、安斎の顔をじっと窺い、

「あれ、やっぱり安斎さんやがな」

と言った。安斎は相手が誰なのか気づかない様子で、顔をあげてその長身の学生の顔を見ていた。

「ぼくですよ、田岡ですよ」

田岡と名乗った学生は、笑いながら安斎に顔を近づけてみせた。

「……ああ、お前か。髪の形が変わってるから、わからへんかったよ」

「お久しぶりです」

田岡は短く刈りこんだ頭を掻《か》きながら頭を下げた。

「きょ年、R大に入ったんです。テニス部には松下さんや中原さんもいますよ」

安斎の高校時代のテニス部の後輩らしく、田岡は親しみを顔中に漂わせて、燎平たちの近くのテーブルに坐った。眉も目も幾分垂れ気味な愛嬌《あいきょう》のある顔つきだったが、スポーツ選手らしい精悍《せいかん》さが溢れていた。

「田岡専二郎や。兄貴は、元デ杯候補選手の田岡幸一郎さん」

と安斎は紹介した。

「安斎がまたテニスをやりだしたって、えらい噂《うわさ》になってますよ。みんな逢いたがってました」

「みんなて、誰々や？」

「加島照彦、勝山和寿、村野敏夫、あのへんの連中です」

田岡が口にしたのは、関西の大学テニス界ではトップクラスの選手たちばかりだった。みな高校時代は、安斎の好敵手だった連中で、テニスの名門校に進んで、しばしば新聞のスポーツ欄にも名をつらねている連中だった。

「毎週、日曜日の午後から香櫨園《こうろえん》のクラブに集まってます。自主練習ですけど、コートを一面借りきって試合をするんです。兄貴がコーチみたいな格好ですけど、いっぺん安斎さんも顔を出して下さい」

「おい、それは結構な話やないか」

金子が口を挟《はさ》んだ。安斎のいい出ゲイコ先はないものかと、さっき露人で話し合ったばかりだった。

「うちには安斎より強い選手がおらんから、困ってたとこですよ。その自主練習に、安斎も参加させてもらえませんか」

金子が頼み込むと、

「どうぞ遠慮せんと参加して下さい。安斎さんなら、みんなも喜びますよ。兄貴には、ぼくのほうから話しておきます」

田岡専二郎は嬉しそうに笑って言った。金子は自分の太腿《ふともも》を叩いて、

「安斎、日曜日は香櫨園クラブへ行けよ。田岡幸一郎のコーチで、加島や勝山と練習が出来たら、それこそ願ったりかなったりやないか」

そう言ってから田岡に頭を下げ、

「よろしくお願いします。あしたの日曜日から、早速参加させてもらいますから」

とひとりで勝手に決めてしまった。安斎は頭を掻いて、あまり気乗りのしない表情で燎平を見やった。

「俺、高校生のときにも田岡の兄貴に教えてもろたことがあるんや。徹底的にしごかれたよ。選手としてよりも、コーチとして一流の人や」

「それなら、なおさら結構な話やないか」

と燎平が言うと、安斎は鼻に皺《しわ》を寄せて苦笑し、

「真夏の炎天下のコートに五時間も立たされたことがある」

と言った。

「五時間！」

「大きな古タイヤを引きずって、全力疾走をやらされた。これはラグビーか相撲の選手にさせることで、テニスの選手には向いてないのと違うかて抗議したんや。そしたら、わかるまで立っとれ言われて、そのまま五時間立たされたんや」

金子が安斎の話を聞きながら、くつくつ笑った。

「頭がボーッとして、もう死ぬかと思った時分に田岡の兄貴が来よって、わかったか、そう訊きよった。わかるもわからんもないよ。俺は息も絶え絶えに、わかりましたて即座に答えたねェ」

そして安斎は真剣な表情で燎平たちを見廻して言った。

「炎天下に五時間も立たされてみィ、多少は人生というものがわかってくるでェ」

みんな一斉に笑い声をあげた。

「田岡幸一郎という名前を耳にするだけで、あの灼熱《しやくねつ》地獄を思い出すんや。もうこりごりや」

だが安斎克己の意思とは無関係に、この話は決まってしまったようだった。金子は、香櫨園クラブには何時に行ったらいいのかを田岡に質問し、幾分はればれした表情で立ちあがった。燎平は端山たちのほうに挨拶してから、煙草のけむりと静かな映画音楽のたゆとうている白樺の階段をのぼった。

歩いていると、祐子の微笑が浮かんできた。祐子のやつ、やっぱり真一文字に進んでいきやがると思った。地味で清楚《せいそ》な祐子のどこかにひそんでいる烈《はげ》しくひたむきなものが、きょう突然姿をあらわした。そんな気がするのだった。

以前、燎平は、あるいは祐子のような娘こそ、恋という心ときめくうねりの中に、静かに狂おしく突き進んで行くかも知れないと思ったことがあった。燎平はなぜか、祐子はしあわせに生きていくだろうと思った。どんな状況に置かれても、祐子はいつでもひっそりと清楚に、祐子らしく生きているだろう。そう思う心の片隅に、結婚することをそっと口にした際の、祐子のどことなく寂しそうだった表情が気にかかったが、結婚がきまった女は、誰も多少は寂しさに包まれたりするものだろうと燎平は思った。

「おい、俺もじつは祐子を好きやったんや」

と燎平は並んで歩いている三人に言った。

「嘘つけ、お前は夏子にぞっこんやないか」

貝谷が言い返してきた。

「夏子も好きやけど、祐子みたいな女の子も好きなんや。お前らの不景気な顔を見てたら、だんだん自分が失恋したような気分になってきた」

善良亭の汚れた暖簾《のれん》をくぐると、油や醤油や酢の入り混じった匂いがむっと鼻をついた。ガリバーの母親が伝票に何かを書き込みながら、いらっしゃいませェと大声を張りあげた。出前に出て行くところだったガリバーが、手をあげて懐《なつか》しそうに笑った。

「珍《めずら》しいやつが来よったなァ。どういう風の吹きまわしや」

ガリバーとは長いあいだ逢っていなかった。短かった頭髪は長くなり、ガリバーはそれを真ん中から分けて耳がすっぽり隠れるくらいに伸ばしていた。そのせいか、ガリバーは前よりも幼くなったようで、顔の陽灼けも薄れて白くなり、体にも肉がついている。燎平はガリバーの母親に有り金を全部渡すと、

「これだけ使うたらストップをかけてや」

と頼んだ。

「あれまあ、椎名はんやおまへんか。きょうはえらい金持ちやなァ」

ガリバーの母親は紙幣を数えると、入口のところのレジスターに金をしまい、

「四人で、これだけ食べよと思たら、えらいこっちゃがな」

と言った。

「まずビールを四本、それから餃子を三人前ずつ四人に持って来てんか」

一番奥のテーブルに坐ってから燎平は大声で註文した。

「無茶苦茶に安い店やなァ」

メニューを見ながら金子が感心している。四人は黙々とビールを飲み、餃子を頬《ほお》

張《ば》った。ガリバーは出前から帰って来ると、すぐに休む間もなく、次の出前に出て行き、また戻って来てカウンターの中に入り、それから今度は岡持《おかもち》を両手に下げて駆《か》け足で路地に出た。

「おい、燎平、戸を閉めてくれ」

ガリバーはそう言い残して、どこかに消えて行った。

「安いけど、ここの餃子はうまいがな」

安斎はいつもよりビールをたくさん飲んで、目元を赤くしたまま言った。

「そら、善良亭やがな。ひたすら薄利多売で味自慢の善良亭や」

註文もしていないのに、ガリバーの母親が肉の炒《いた》め物を大皿に盛って運んで来た。

「こんなもん、頼んでないでェ」

「うちの自慢のジンギス汗や。ちゃんと予算の中に入れてあるから心配せんと食べなはれ」

ひと口食べて、貝谷が首を傾け、感に堪《た》えぬといった口ぶりでつぶやいた。

「うまい。これは何の肉やろ。俺、こんなうまいもん、食べたことないなァ」

するとガリバーの父親が、カウンターの中で鍋をかき廻しながら言った。

「羊の肉や。うちのジンギス汗焼きは最高でっせェ」

「餃子をもう二人前」

と金子が鼻の頭にいっぱい汗を噴き出して叫んだ。

「くそォ、きょうは食うて食うて食いまくったる」

そう言って、貝谷がせせら笑いをしながら、羊の肉を頬張った。目を細め、いつものふてくされた表情で、コップの中のビールをひと息にあおった。

「とにかく、貝谷の心中を思うと、俺は涙が出るなァ」

金子の言葉で、貝谷はまたビールをあおって、せせら笑った。

「しかし、貝谷のことやから、まだあきらめてないはずや」

安斎に言われて、貝谷は目を閉じて唇を歪《ゆが》め、それから、かっと目を瞠《みは》ってビールをつぎ、

「いや、あきらめたよ」

と言った。

「祐子みたいな女の子は、絶対に俺みたいな男には惚れへんのや。俺は祐子の結婚相手の顔が、だいたい想像出来るんや。男前でもない、ごく普通の、そやけど俺には太刀《たち》打ち出来ん顔をしてるんや」

「そら、どんな顔や？」

燎平が訊くと、金子がテーブルを叩いて怖い顔でさえぎった。

「顔なんかどうでもええやないか。祐子は男のみてくれに惚れたんとは違う。そこ

がじつに祐子らしい、しゃくにさわるところなんや。俺は祐子をますます好きになった」

貝谷は最後の言葉を、じっと燎平を見つめつつ言った。どことなく不自然な視線の注ぎ方だった。

「おばちゃん、餃子を二人前」

「俺も二人前、それからビールをもう四本」

安斎と貝谷が註文し、また黙々と口を動かしてから、四人はやっと人心地がついて、ゆっくり顔を見合わせた。誰からともなく笑い声があがり、それぞれはこらえきれない笑いを喉元《のどもと》で震《ふる》わせつつ、頬杖をついたり、椅子にぐったりと凭《もた》れ込んだりしていた。

ガリバーが空《から》の岡持を持って帰って来た。丸椅子とコップを持って燎平たちのテーブルにやって来ると、ひとりで勝手にビールをついで、燎平の皿から餃子をつまみ、口に入れた。

「燎平、あとで二階に来てくれ」

「何の用事や？」

「また俺の歌を聴いてくれ」

「きょうは、失恋の歌を聴きたいなァ」

「失恋の歌は、俺のレパートリーにはないなァ」

「無粋《ぶすい》なやつや。昔から、ほとんどの名曲は男と女のことを歌ってるんやぞォ」

すると貝谷が、ぽつんとつぶやいた。誰に聞かそうというのでもない、ただ自分に自分の気持を教えている、そんな言い方であった。

「俺は、じつに真剣に、祐子に惚れとったな」

顔が赤かった。ビールのせいだけでなさそうな目元の紅潮だった。

「こないだ、学生食堂の窓から何気なく坂道を見てたら、祐子がおんなじクラスの女の子四、五人とのぼって来た。なかなか美人揃《ぞろ》いの一団で、他の連中と比べると、祐子が一番目立てへんかった。祐子よりも美人で華やかな女の子に挟まれてたんや。祐子は、そやけどやっぱり際立《きわだ》ってたよ。祐子は華やかではなかったけど、よく見ると一番華やかやった。ああ、祐子て、やっぱりええなァと、俺は思ったんや」

日ごろの貝谷らしくない素直な言い方だった。

「いまごろ、そんなことを言うても、あとのまつりや。もっとさっさと口説《くど》いとかんから、こういう結果になる。女は押しの一手や」

金子が言ったので、燎平は金子の喋《しゃべ》り方を真似《まね》て、

「大きな心で押しの一手や」

と切り返した。燎平が大学に入学してすぐのころ、金子にそう言われたことがあ

った。貝谷はあきれたように、

「ちぇっ、俺が祐子に近づくのを、徹底的に邪魔したのは誰や」

と金子に向かって言った。金子は、とぼけた表情をして、餃子を口に入れ、ゆっくりと嚙《か》みながら、

「俺は、貝谷のことをばい菌《きん》みたいなやつやと思てたからな」

「いまはどう思てるんや」

「まあそんなに悪いやつやとは思てない」

「俺は、大学を卒業して、ちゃんと社会人になったら、祐子に自分の気持を言うつもりやったんや」

「それが手遅れというんや。近ごろの女子大生は、こっちが考えてるよりもずっとしたたかやからなァ」

金子はそう言って、燎平の餃子まで口に入れた。

「だんだん、しんみりしてきたぞォ。おい貝谷、もっとビールを飲めよ」

と安斎が笑った。それまで無言で燎平たちのやりとりに聞き入っていたガリバーが、

「どうもきょうは俺の歌を聴いてくれるような雰囲気やないなァ」

とつぶやいて立ちあがった。ガリバーが立ちあがると同時に、出前やでェという

声がカウンターの中から聞こえた。ガリバーは舌打ちをして、カウンターに並べられたラーメンを岡持に入れると、口笛を吹きながら表に出て行った。

燎平は、金子と安斎を見て、貝谷のように口にこそ出さないが、ふたりもまた祐子に対して、あるいは烈しい思いを抱いていたのではないかと思った。ふと、夏子のことを思った。夏子が、自分以外の男を愛したら、どんなに苦しい気持に追いやられることであろうと燎平は想像してみた。夏子はとうの昔に、自分の気持を知っていることだろう。夏子はいったい自分のことをどう思っているのだろう。

燎平はいつしか、ひとりきりの思いの中にひたっていった。そしていまのところ、燎平は自分が夏子を得ることが出来るとは、到底考えられないのであった。夏子は、相変わらず、遠くにいた。

「チクショー、恋やの愛やの、女々《めめ》しいことを言うな」

燎平はわざと酔っぱらったふりをして怒鳴った。

「親の臑《すね》かじりの大学生が、一人前の口をきくなっちゅうんや」

と金子も怒鳴った。金子は本当に酔っていた。

「女々しいのは、燎平、お前や」

安斎も、とろんとした目で言った。

「俺のどこが女々しい」

「貝谷どころか、お前のほうがもっと煮え切らんぞォ。夏子に惚れてるくせに、いつまでたっても優柔不断や。そのうち、貝谷の二の舞いやぞォ」

「臑かじりの大学生の俺に、何が出来る。好きです、愛してますって言うてから、それからどうしたらええんや。俺はまだガキなんや」

「そうや、俺たちはみんなガキや。おい、もっと飲もうぜ」

金子は相槌《あいづち》を打って、貝谷と安斎の皿を自分の前に持って来ると、手づかみで餃子を食べた。そのくせ、貝谷にビールをつがれると、首を振って、

「もう満腹や。もう入らん」

そう言いながら椅子に凭れ込んだ。そして危なっかしい足取りで立ちあがり、ラケットとボストンバッグを持ち、

「あした香櫨園クラブに一時やぞォ。忘れるなよ」

と言った。

「どこへ行くんや」

「俺は帰る」

金子は巨体を揺すって夜の街を帰って行った。貝谷も立ちあがり、同じようにラケットを小脇に挟むと、そのままふてくされた笑いを作って出て行った。

「酒は、救済の手だてとはならんなァ」

安斎もそう言い残して、燎平に軽く手を振って善良亭の暖簾をくぐって消えた。ひとりとり残された燎平は、ガリバーの母親に勘定を頼んで、そのままぼんやり椅子に坐っていた。

「なんや、みんな図体のわりには食べへんなァ。これだけ余ったでェ」

ガリバーの母親は千円札を一枚と百円硬貨を何枚かテーブルの上に置いた。

「きょうは、駱駝《らくだ》は善良亭にはけえへんみたいやなァ」

「駱駝て何やねん？」

「端山さんの子分のことや」

ガリバーの母親は、口をあけて笑い、

「ほんまや。あの連中、駱駝みたいなもんや。あんた、うまいこと言うがな」

と言った。燎平は余った金をポケットに入れると、そのままいつまでも善良亭の隅のテーブルに腰を降ろして、じっとしていた。むしょうに夏子に逢いたかった。体中の力が抜けて、ひどく寂しかった。祐子の突然の結婚話が、燎平を寂しくさせていた。

「おばちゃん、電話貸してよ」

「二階の電話を使いなはれ」

ガリバーの母親が、階段の電気をつけてくれた。狭い急な階段をのぼると、油臭い部屋に入った。ガリバーのギターケースが、部屋の隅に立てかけてあった。部屋の真ん中に、汚れた枕がぽつんと置いてあった。ダイアルを廻してしばらくすると、夏子の声が聞こえた。

「元気？」

「元気よ。あっ、お酒飲んでるでしょう」

「そこまで匂うかなァ。大蒜《にんにく》の臭いもするやろ？」

「どうしたの？　どこをほっつき歩いてるの」

「家からと違うということ、なんでわかるんや？」

「そりゃあわかるわよ。勘《かん》はいいのよ」

「祐子が学校を辞めるんや。五月の末に結婚することが決まったんや」

夏子になら言ってもいいだろうと燎平は思った。だが、夏子は別段驚いたふうもなく言った。

「祐子、きっとその人と結婚するやろなァって思ったわ」

「夏子、知ってたのか？」

「お見合いをしたことを聞いたの。ときどきお食事したり、映画を観に行ったことも、祐子から聞かされたのよ」

「祐子らしいやろ？」

「そうね、祐子らしいわね」

「がっくりきてるやつが、テニス部に三人おるんや」

「貝谷くんに金子くん……」

「それから安斎もや」

「燎平も、ちょっとはがっかりしてるんでしょう」

「うん、祐子のしあわせが、なんとなく、ねたましいなァ」

「私も、ねたましいなァ……」

「夏子のねたましさは、俺には多少は理解出来る気がする」

「私、祐子のこと、なんとなく苦手なの」

「……へえ」

「祐子って、そんなに目立つほどきれいじゃないでしょう？　そやけど、やっぱり祐子ってきれいな女の子なのよ。私、そんな祐子が苦手なの。かなわないなァって思うの」

　夏子は、先ほどの貝谷と似た言い方で、星野祐子の持っている魅力を言い表わした。夏子のような娘には、確かに祐子は苦手なタイプかもしれなかった。

「あした、香櫨園のテニスクラブに行くんや。もし暇《ひま》やったらおいでよ」

と燎平は夏子を誘《さそ》った。

「べつに予定はないけど……」

夏子はあまり気乗りしない口調で言った。

「安斎のための特別練習を、これから毎週日曜日に香櫨園のコートでやるんや。テニスをするのは安斎だけで、俺も金子も見学やから、夏子のお相手をしてあげられると思うよ」

「ほったらかしにしないで、ちゃんと遊んでくれるんやったら、行ってもいいけど」

夏子はなかなかうんと言わなかったが、燎平は執拗《しつよう》に誘った。その執拗さを、燎平は、きっと自分が酔っぱらっているからだろうと思っていた。

「気が向いたら、車に乗って香櫨園まで行くわ。何時ごろになるかわかれへんけどね」

そう言って、夏子は電話を切った。燎平は、善良亭の二階の薄暗い湿っぽい座敷にあおむけに寝そべり、ガリバーが出前から帰って来るのを待った。ガリバーの新曲を聴いてやろうと思ったからだった。

　春が訪れたような陽気だった。阪神電車の香櫨園駅に降りると、先に来ていた金子が改札口のところで手を振った。海が近くにあり、絶えず浜風が吹いているところだったが、珍しく風もなく、小さなつぼみをつけた川ぞいの桜並木には、コートを脱いだ若い男女が数組枯れ草の上に腰を降ろして、うららかな陽光を浴びていた。

ふたりは住宅街を海のほうに向かって十五分ほど歩いた。クラブハウスの屋根が見え、ボールを打つ音が聞こえてきた。香櫨園ローンテニスクラブは、阪神間では最も大きなテニスクラブで、コート数も二十数面あって、夏にはインカレの舞台にもなる名門クラブだった。

一時を少し廻っていたので、もう安斎は先に来て着換えているころだろうと燎平は思った。テニスクラブの駐車場を見たが、夏子の車はなかった。

クラブハウスに入ると、窓ぎわのデッキチェアに坐った安斎の顔が見えた。その横に、昨年のインカレのダブルスの優勝者であるK大の加島・勝山のペアがテニスウェアを着て腰かけていた。安斎の左隣には、やはり昨年のインカレでシングルス・ベスト四に入ったS大の村野敏夫もいた。高校時代は、三人とも安斎よりランキングが下の選手だったから、もし順調に選手生活をつづけていれば、あるいは安斎克己はすでに大学の覇者《はしゃ》となっていたかもしれなかった。

燎平も金子も、安斎に会釈《えしゃく》して、少し離れたところに坐った。何となく気後れして、傍に行くことが出来なかった。燎平たちからみれば、加島や勝山はまるで力量の違うスター選手であった。安斎のまわりにいる若者たちは、みんな小学生のころから、テニスの英才教育を受け、ただテニス一筋に進んで来た連中だった。金子の説明によると、加島照彦は神戸の大きな中華料理店の息子だったし、勝山和寿の父親は関西の財界でも重要な位置にいる人物で、村野敏夫はといえば、有名な化粧品メーカーの重役の次男坊であった。そう言われてみれば、三人は陽に灼けた精悍な顔のどこかに、育ちのよさそうな坊っちゃん然としたところを持っていた。

金子が立ちあがった。コーチの田岡幸一郎が、弟の専二郎と一緒にクラブハウスに入って来たからであった。金子は頭を下げてから、田岡幸一郎に向かって言った。

「安斎がお世話になります。ぼくはキャプテンの金子慎一といいます」

弟の専二郎から話を聞いていたらしく、田岡幸一郎は、ああと小さくつぶやいて、金子に軽く礼をした。

「安斎とは昔なじみでねェ、なんとかもういっぺん復帰させたいと思てたんです。他の連中の励《はげ》みにもなるし、こっちとしても安斎が参加してくれるのは大歓迎ですよ」

燎平は、きのうの安斎の話から、田岡幸一郎という元デ杯候補選手を、がっちりした体つきの、荒くれ男みたいに想像していたのだが、実際は痩《や》せぎすの優《やさ》しそうな顔立ちをした青年であった。背は高かったが、肩幅も胸周りもごく普通で、どこかの女子高の新米教師といった雰囲気を漂わせていた。

田岡や安斎たちが、コートの中で柔軟体操を始めるのを見ながら、燎平は売店で買ったアイスクリームを食べた。デッキチェアに坐って、ガラス越しに差し込んでくる陽光を浴びていると、目頭が重くなり、眠気が襲ってくる。

「俺もお前も、大蒜臭いやろなァ」

と金子が言った。

「貝谷のやつ、相変わらず時間を守りよれへん」

燎平が言うと、

「ほっとけよ、そのうち忘れた時分にふらっと邪魔臭そうな顔をして入って来るよ」

「田岡幸一郎さんは、現役を引退したんか？」

「そうや。選手生活は引退したそうや。なにしろ田岡実業の跡取り息子やから、仕事がいよいよ忙しくなってきたんやろ」

「ふうん、田岡実業の御曹司《おんぞうし》かァ」

「一部上場の有力商社やからなァ」

燎平があちこちを見廻していると、

「きょろきょろするなよ」

金子がそう言って横目で睨んだ。

「男がきょろきょろするな。俺が観察したところでは、見るに値いするような女の子は、いまのところこのクラブにいてないみたいや」

「夏子が来るかも知れんのや」

「うん、夏子か。……あれは見るに値いする美人やな」

それから金子は大きく伸びをしてから、

「燎平の片思いも、もう随分長いなァ。こらえ性がないくせに、夏子に関しては辛《しん》抱《ぼう》強い。本気で惚れるということは、恐ろしいもんやなァ」

と言った。そう、自分は本気で惚れているのだと燎平は思った。夏子という、際立った美貌を持った、つかまえどころのない奔放《ほんぽう》な娘のことを考えると、もうそれだけで胸のどこかに柔らかい痛みが起こった。恋というものが一度きりではなく、生涯にわたって幾度も遭遇する波のようなものだとしても、夏子に対する自分のそれは、もっとも大きなうねりをもつ波濤《はとう》であろうと思った。燎平は気持のいい太陽の光に包まれながら、たどたどしい口調で、金子に自分の気持を話して聞かせた。

「いまはそう思い込んでるがなァ、もっともっと好きな女が出てくるぞォ。その次には、それより何倍も好きな女が出て来る。そのたびに、そのたびに、これが最後やと思うんや。しかし恋は無限にやって来る」

金子はそんな言い方をして、アイスクリームの最後のひとかけらを口に入れた。

それから、

「しかし、俺たちは、ただアホみたいにテニスをやってきたなァ」

と言った。

「本も読まず、映画も観ず、勉強もせず、車にも乗らず、女の子とも遊ばず、ただテニスばっかりやってきた。こうなったら、残りの二年間も、徹底的にテニスをやってやる。行く手には、マッチポイントあり、やなァ」

いったい何のマッチポイントなのか、燎平にはわからなかった。

「随分つまらんことをやってるような気がする。俺自身、ときどき本気で馬鹿らしくなるときがあるんや。テニスなんか、いったい何になる。俺はテニスをやるために生まれて来たんとは違う。しかし、しかしやなァ、燎平」

と金子は少し目の光を強めて、芝居がかった口調で言葉をついだ。

「女の子と楽しく遊んで、それが何になる。車を乗り廻して、映画を観て、それが何になる。俺たち人間は、恋をするために生まれたのでも、スポーツをするために生まれたのでもない。しからば、いったい何のために生まれたか」

「何のために生まれたんや」

「……つまり、それがわからんために、足踏みをしてるわけや」

「四年間の足踏みか」

燎平は言った。

「一生つづくかも知れん足踏みや。しかし、最後は体力が決定する。これだけは真理やぞォ。人生の勝敗は体力が決定するんや」

「そうとも言えんと思うけどなァ……」

「いや、すべては体力や。少なくとも、体力という土台の上に、あらゆる知恵も策《さく》謀《ぼう》も計画も存在してるんやないか。と言うことは、俺たちは人生の基礎を、この大学生活で作ってるんや」

燎平が反論しようとするのを、機嫌の良さそうな笑顔で封じると、金子はぶあつい胸を音たてて叩いてみせ、安斎と村野敏夫との練習試合を観るためにクラブハウスを出て、フェンスのところに歩いて行った。

「燎平！」

その声に振り向くと、夏子が自分の店の大きなケーキの箱を持って立っていた。

「車が混《こ》んでたの。六甲からここまで一時間もかかったわ」

夏子は言って、燎平の隣のデッキチェアに坐った。車が混んでいたのが、さも燎平のせいでもあるかのような不機嫌な顔を注いで、

「そのうえ、やっと着いたと思ったら、駐車場が満員で、ケーキなんか持って来てあげるんやなかったて思ったわ」

「機嫌が悪いんやな。こんないいお天気やから、日光に当たりながら上手なテニスを見物してたら、気分もよくなってくるぞォ」

「私、気分がいいとか、楽しいとかっていう言葉、なんとなく好きじゃないの」

と夏子はテニスコートに目をやったまま言った。

「そんなに嚙みつくなよ。車が混んでたのは俺のせいとは違うよ」

「燎平が誘ったから、別に用事もないのに香櫨園まで車を走らせて来たのよ。まったく責任がないわけとは違うわ」

「俺も用事はないけど、安斎の練習を見るために、電車を乗り継いで来たんや。せっかくの日曜日、家でぶらぶらしてたかったんや。はりきってるのは金子だけや」

その金子のうしろ姿が、クラブハウスの外にあった。燎平は金子を呼んだ。

「あっ、夏子やないか」

金子はそうつぶやいてクラブハウスに入って来ると、ケーキの箱を持ちあげ、

「ごちそうさん」

と笑った。

「姫は、いたく御機嫌が悪い。車が混んで、排気ガスをたっぷりお吸いになったそうじゃ」

燎平が言うと、金子は夏子の横に腰を降ろして早速ケーキの箱の包装をほどき始

めた。

「さすがは安斎やぞォ。強い相手と戦わせると、実力がはっきり出て来るなァ。さっきのボレーとスマッシュなんて、超一流のショットやった」

それから金子は、テニスコートを指差して、あれが村野、あれが加島と勝山、と夏子に教えていった。

「あのネットのところに立ってるのが田岡幸一郎。元デ杯候補や。この自主トレーニングのコーチ役で、現役時代はコントロールのええバックハンドで鳴らしたもんや」

三人は、ひなたぼっこをしながらケーキを食べ、そうやって安斎と村野の試合を観戦していた。試合はワンセットで、村野が七—五で勝った。安斎たちはバスタオルを肩にかけてクラブハウスに戻って来た。

「パーセンテージが落ちてるなァ」

と田岡幸一郎は安斎に言った。

「昔は、あんな無茶な球は一球も打てへんかったよ。甘い練習をしてる証拠や」

田岡はキャプテンである金子にもそう言って、

「もっと地味なテニスに戻してやらんとあかんなァ」

とつけ足した。

静かだったクラブハウスの中は途端に賑《にぎ》やかになり、燎平たちの仲間と加島や勝山たちのグループが入り混じって、冗談を言い合ったり、ふざけ合ったりしていた。その中へ、ひとりの若い女性がそっと入って来た。いつの間にクラブハウスに入ってきたのか燎平は気づかなかったが、ふと目をやると、田岡幸一郎の横に寄りそうようにして立っていたのだった。

持って来た大きなバスケットをテーブルに置き、蓋《ふた》をあけて中からポットに入った珈琲やらサンドウィッチやらを出した。そしてみんなに食べるようにすすめた。加島や村野は顔見知りらしく、遠慮なく手を出したが、金子も燎平も女のどことなくおとなびた立居振舞いが眩《まぶ》しくて、すすめられたものに手を伸ばさなかった。すると女は、微笑《ほほえ》みながら、

「どうぞ召し上がれ」

と言って、紙コップに珈琲を注ぎ、夏子に差し出した。夏子を見ると、

「うわァ、とってもきれいな方ね」

と素直に感心してみせた。そして傍らの田岡に、

「私、この方とは初めてなのよ。紹介して」

と言った。

田岡も夏子とは初対面だった。それで金子がかしこまった顔で、田岡たちに夏子

を紹介した。女は長い髪を片手で梳《す》きあげ、

「朝原真佐子です」

と微笑を絶やさずに軽く頭を下げた。色の白い、細面の顔立ちには、育ちのいいお嬢さん然とした雰囲気があったが、造りが全体に吊《つ》りあがっているようなきつい感じも持っていた。

「もう早いとこ、田岡さんと結婚してしまって下さいよ。毎週毎週、あてられるのはかなわんよ」

と勝山がサンドウィッチを頰張りながらひやかした。燎平は最初女を見たとき、田岡の妻であろうかと思ったのだが、話を聞いているうちに、朝原真佐子という女性が田岡幸一郎の婚約者であることを知った。話のはしばしから、ふたりが来年の春に式をあげる予定であることもわかってきた。

「村野さん、来年のインカレは優勝ね」

と朝原真佐子は歳下の青年を少しあおるような調子で言った。

「いや、僕は永久にベスト四どまりかも知れませんねェ。東京には鮫島がいますし、加島も勝山も来年はシングルスに力を入れて来ます。そのうえ、この安斎が復帰して来たら、もうひとり強敵が増えるわけですから」

村野は歯切れのいい口調で言って、陽に灼けた顔をほころばせた。燎平は、田岡

たちのグループの持っている華やかさが眩しかった。彼等はみなスター選手で、燎平と比べると毛並も技量も圧倒的に秀でていた。そして一様に夏子の存在が気になるのか、ときおり視線を不自然に夏子の近くに集めてくるのである。

燎平はそっと夏子を見つめた。夏子はデッキチェアに坐ったまま、珈琲の入った紙コップを持って、遠くのテニスコートのほうに目をやっていた。さりげなさを装っていたが、どこかにそうした若者たちの視線を感じている様子があらわれていた。

「僕、ときどきドゥーブルで珈琲を飲んで、ケーキを食べることがあるんですよ」

田岡幸一郎が夏子にそう言った。

「ドゥーブルの二、三軒隣に、清文堂っていう本屋があるでしょう?」

「ええ」

「あそこの息子が、僕の学生時代の友だちでしてねェ。遊びに行くと、決まってふたりでドゥーブルに行くんですよ」

「あら、そんな話、初めて聞きましたわ」

真佐子が横から口を挟んだ。

「吉川さんとは、いつもお酒ばっかり飲んでるのかって思ってました」

吉川というのは、その清文堂の息子のことらしかった。

「いや、珈琲とケーキでおやつをとることもあるんや」

田岡は照れ臭そうに笑った。

「私がケーキを食べたいって言うても、そんな女子供の欲しがるようなもんを食えるかって、お酒を出すお店にばっかりつれて行くくせに」

田岡が婚約者に問い詰められて言葉を喪《うしな》ってしまうと、安斎が助け舟を出した。

「どうやら、ここはすでにかかァ天下みたいやなァ」

真佐子はバスケットの中から数個の檸檬《レモン》を出し、フィアンセである田岡幸一郎や、加島や安斎や村野の掌《て》に渡した。果物ナイフで輪切りにすると、ガラス越しの日溜まりの中に檸檬の香が満ちた。黄色いツーピースの下にそれより少し薄目の同じ黄色のニットを着込んでいる夏子が、その瞬間燎平には一個の檸檬に見えた。夏子からは柑橘《かんきつ》系のオーデコロンの匂いが漂っていたから、よけいそんな気がしたのかもしれなかったが、どんなときも、どんな場所にあっても、夏子は特別な存在に見えるのであった。

金子はいつもそうするように、檸檬の片方の端を前歯で嚙み切ると、その部分に唇を押しつけて、中の果汁を吸った。燎平も同じように檸檬の端に穴をあけて、両手で檸檬を強く揉《も》んだ。そうすると、果汁が穴から噴き出てくるのである。果汁と一緒に種が口に入って来たので、それを掌の中に吐き出すと、夏子の耳元でささやいた。

「大学に入ったころ、梅田新道のビアホールに、金子と三人で行ったことがあるやろ？」

「うん」

「あの帰り道に、俺のことを、三十歳ぐらいになったら凄《すご》くいい男になりそうな気がするって言うたやろ。いまもそう思うか？」

夏子は微笑を浮かべて燎平のほうに顔を向けると、

「変なことを覚えてるのね」

と言った。

「覚えてるよ。甘く切なく覚えてるんや」

「いまも、やっぱりそう思ってるわよ。相変わらず、ズボンのポケットに両手を突っ込んで頼りなさそうに歩いてるやろけど……」

「きのう祐子に結婚のことを言われたとき、十年たっても二十年たっても、祐子はちっとも変わってないやろなァって思ったんや。そやけど、ふと夏子のことを考えたら、俺はひょっとしたら予想もつけへんくらい、夏子は変わっていくんと違うやろかって思てしもたよ」

「どうして？」

「どうしてかわからんけど、そんな気がしたんや。俺は、夏子がいったいどんなことを考えてるのか、さっぱりわからへんのや。おかしな女の子や」

　燎平は本心からそう言った。

「良く変わっていくの、悪く変わっていくの？」

「そこのところがわからんのや」

「でも、そこが大事なところでしょう」

「家業のほうはどう？」

　と燎平は訊いた。田岡や安斎たちは、こんどはダブルスの練習試合をするために、再びコートのほうへ出て行った。カーディガンを羽織った朝原真佐子が、幾分媚《こび》を含んだ素振りで田岡に向かって檸檬を一個投げて渡した。田岡は片手で檸檬を受けると、それをラケットの面に載せて歩いて行った。

「相変わらずお母さんも忙しそう。私には何にも手伝えることがないのよ」

「前にも言うたやろ。夏子はいつまでもお嬢さんでいてたらええんや。お嬢さんでなくなったときの夏子を考えたら、俺は哀しくなるなァ」

　燎平はそう言って、高慢《こうまん》なところやお嬢さん然としたところを奪ってしまえば、実際に夏子の魅力が失われてしまうことだろうと思った。夏子もまた、人妻となり母親となっても、いまのままいっこうに変わらずにいてほしかったが、どこかに滅びてしまうもの、喪われてしまうものを持っているような気がするのだった。それは若さでもなく美貌でもなかった。もっと夏子そのものを作っている一点であった。

「俺は三十歳になって、もしまだ夏子が誰のものでもなかったら、そのときは堂々とプロポーズするぞ」

と燎平は言った。夏子はまたさっきの優しい微笑を投げかけて、

「どうして、三十歳にならないとプロポーズしないの？」

と訊いた。燎平の言葉が聞こえたらしく、朝原真佐子がちらっと視線を投げてきた。すぐに視線をテニスコートのほうに戻したが、耳は燎平と夏子に向けているふうだった。燎平は声を落とした。

「夏子には贅沢《ぜいたく》が必要なんや。夏子に貧しい切り詰めた生活は似合わんよ。俺は夏子のことには真剣やからなァ……」

「そのときかぎりの遊びで楽しんでるカップルがたくさんいるわよ」

「俺は真面目な人間やからな」

そう言ったあと燎平がくすっと笑うと、夏子も同じように笑い返して、そのまま田岡・安斎組と加島・勝山組のダブルスの試合に目をやった。それから思い出したように、

「祐子、きっと堂々としてたでしょう？」

と訊いた。

「うん、堂々としてたなァ。どうも婚約した女というのは、堂々としてるみたいや」

燎平は朝原真佐子を横目で見やりながら、そうささやいた。彼は、祐子が堂々とした中に一抹《いちまつ》の寂しさを漂わせていたことは黙っていた。

燎平は自分の気持をうまく夏子に伝えられないことがもどかしくて、掌の中の檸檬を強く握りしめた。自分が、三十歳になるまで夏子にプロポーズしようとしないのは、いったいなぜなのか、燎平にもはっきりとした理由があるわけではなかった。ただ、夏子に視線をおくってくる多くの男たちと比べて、いまの自分はなべてあらゆるところで劣っていると感じてしまうからであった。燎平は、夏子を完全に喪ってしまうことが恐ろしかったし、そんなふうに考えてしまう自分自身が不甲斐なかった。

「先月、私の従妹《いとこ》も婚約したのよ。あーあ、まわりはフィアンセたちばっかり。みんな変に堂々として、しあわせそう」

夏子はそんなふうに言って、きれいにカールさせた長い髪を揺らしながら立ちあがった。そしてクラブハウスを出たところに立ち停まり、安斎たちの試合に見入っていた。

朝原真佐子も立ちあがって、陽の当たっているフェンスの傍まで行き、どちらかのペアがポイントを取るたびに、少し奇異な感じを与えるほど大袈裟《おおげさ》に拍手をした。

燎平は表の道路に出て、住宅街の向こうの、駅からつづく道を見つめた。貝谷はいっこうにやって来そうになかった。燎平は、貝谷の星野祐子に対する気持も、また烈しく真面目なものであったことを知っていた。貝谷の、一種虚無的ともいえる目や、それが癖のふてくされたような薄笑いを思い浮かべた。きっといまごろは、例の舌打ちをしながら、街をほっつき歩いているか、どこかのパチンコ屋で玉をはじいているかしているのだろうと思った。そんな貝谷が、燎平にはいっそう親しく、哀れに感じられていた。

インカレだ、インカレだ、と燎平は心で叫んだ。一戦一戦を勝ち抜いて、俺は必ずインカレに出るのだと思った。どんな人生が待ち受けているのかわからないが、俺はがむしゃらにただテニスだけの大学生活をおくるのだ。

クラブハウスに戻ると、ちょうど安斎たちの試合が終わったところだった。接戦で加島・勝山組を破った田岡・安斎組が嬉しそうに握手していた。朝原真佐子が手を叩いていた。田岡幸一郎が、ベンチの上においてあった一個の檸檬を、自分のフィアンセめがけて放り投げた。檸檬は弧を描いてフェンスを飛び越え、朝原真佐子の頭上を大きく越えて、うしろに立っていた夏子の肩に当たった。

（下巻に続く）

文春文庫

青《あお》が散《ち》る上

定価はカバーに表示してあります

2007年5月10日　新装版第1刷
2024年6月5日　第13刷

著者　宮《みや》本《もと》輝《てる》
発行者　大沼貴之
発行所　株式会社　文藝春秋

東京都千代田区紀尾井町3-23　〒102-8008
TEL　03・3265・1211㈹
文藝春秋ホームページ　http://www.bunshun.co.jp

落丁、乱丁本は、お手数ですが小社製作部宛お送り下さい。送料小社負担でお取替致します。

印刷製本・TOPPAN

Printed in Japan
ISBN978-4-16-734822-9